Biografía del hambre

Amélie Nothomb

Biografía del hambre

Traducción de Sergi Pàmies

EDITORIAL ANAGRAMA

BARCELONA

Título de la edición original:
Biographie de la faim
© Éditions Albin Michel
   París, 2004

Diseño de la colección: Julio Vivas y Estudio A
Ilustración: foto © Lisbeth Salas Soto

Primera edición en «Panorama de narrativas»: febrero 2006
Primera edición en «Compactos»: mayo 2013

© De la traducción, Sergi Pàmies, 2006

© EDITORIAL ANAGRAMA, S. A., 2006
   Pedró de la Creu, 58
   08034 Barcelona

ISBN: 978-84-339-7722-9
Depósito Legal: B. 7782-2013

Printed in Spain

Liberdúplex, S. L. U., ctra. BV 2249, km 7,4 - Polígono Torrentfondo
08791 Sant Llorenç d'Hortons

Existe un archipiélago oceánico llamado Vanuatu, antiguamente Nuevas Hébridas, que nunca ha conocido el hambre. A lo largo de Nueva Caledonia y de las islas Fidji, y durante milenios, Vanuatu ha gozado de dos virtudes raras por separado y cuya alianza resulta todavía más rara: la abundancia y el aislamiento. Es cierto que, tratándose de un archipiélago, esta última virtud raya el pleonasmo. Pero así como conocemos islas muy frecuentadas, nunca vimos unas islas tan poco visitadas como las Nuevas Hébridas.

Es una extraña verdad histórica: nunca nadie ha deseado ir a Vanuatu. Incluso la desheredada geografía que, por ejemplo, constituye la isla de la Desolación tiene sus adoradores: su abandono tiene algo de atractivo. Aquel que desee subrayar su soledad o dárselas de poeta maldito causará la mejor de las impresiones diciendo: «Acabo de regresar de la isla de la Desolación.» Quien regresa de Las Marquesas despertará una reflexión ecológica, quien vuelva de la Polinesia recordará a Gauguin, etc. Regresar de Vanuatu no provoca reacción alguna.

Y resulta aún más curioso si se tiene en cuenta que las Nuevas Hébridas son unas islas encantadoras. Incluyen los accesorios oceánicos habituales que desencadenan los sueños: palmeras, playas de arena fina, cocoteros, flores, vida regalada, etc. Podríamos parafrasear a Vialatte y decir que se trata de unas islas tremendamente insulares: ¿por qué la magia de la insularidad, que funciona con la más mínima roca emergente, no funciona cuando se trata de Vaté y de sus hermanas?

Todo transcurre como si Vanuatu no interesara a nadie.

Este desinterés me fascina.

Tengo ante mis ojos el mapa de Oceanía del antiguo *Larousse* de 1975. En aquella época todavía no existía la república de Vanuatu: las Nuevas Hébridas eran un condominio franco-británico.

El mapa habla por sí solo. Oceanía está dividida por esos fenómenos absurdos y maravillosos que constituyen las fronteras marítimas: es complicado y riguroso, igual que el cubismo. Hay un lado que guarda cierto parecido con la teoría de los conjuntos: así, las Wallis tienen una intersección con las Samoa, las cuales a su vez parecen pertenecer a las Cook; parece chino. Se descubren complejidades políticas, incluso crisis al rojo vivo: una polémica enfrenta a los Estados Unidos y al Reino Unido por culpa de las islas de La Línea, igual de poco conocidas bajo la fabulosa denominación de Espóradas ecuatoriales. Las Carolinas, que se las apañan para pertenecer simultáneamente a Australia, Nueva Zelanda y Gran Bretaña, alcanzan la cima de la perversidad al estar, sin embargo, bajo tutela inglesa. Etc.

Se diría que Oceanía es el elemento excéntrico del atlas. Entre tanta rareza, Vanuatu destaca por su atonía. No tiene excusa: haber estado bajo el dominio conjunto de dos países tan tradicionalmente enemigos como Francia y Gran Bretaña y ni siquiera haber logrado suscitar el más mínimo litigio es una prueba de mala voluntad. Haber conquistado su independencia sin que nadie la discuta, eso da un poco de pena –¡y sin que nadie hable de ello!

Desde entonces, Vanuatu está enojado. Ignoro si las Nuevas Hébridas ya lo estaban antes. Pero Vanuatu lo está de un modo incontestable. Tengo pruebas. Los azares de la vida han hecho que recibiera un catálogo de arte oceánico, dirigido a mi nombre (¿por qué?) por parte de su autor, súbdito de Vanuatu. Este señor, cuyo patronímico es tan complicado que ni siquiera consigo copiarlo, está enojado conmigo, a juzgar por sus breves líneas manuscritas:

Para Amélie Nothomb
Sí, ya lo sé, le importa un bledo.
Firma
11/7/2003

Abrí los ojos de par en par al leer semejante comentario. ¿Por qué ese individuo decretaba, sin haberme visto jamás, que su catálogo suscitaría en mí una indiferencia tan grosera?

Así pues, en mi absoluta ignorancia, hojeé aquel libro de imágenes. Es notorio que no entiendo nada sobre la materia: mi opinión es la menos interesante del universo. Eso, no obstante, no significa que no tenga opinión.

Vi unos sorprendentes amuletos de Nueva Guinea, elegantes tejidos pintados de las islas Samoa, hermosos abanicos de las islas Wallis, notables recipientes de madera de las islas Salomón, etc. Pero a la que un objeto destilaba aburrimiento, ni siquiera me hacía falta mirar el pie de foto: se trataba de un peine (o de una máscara, o de una efigie) originaria de Vanuatu, que se parecía singularmente a los peines (o a las máscaras, o a las efigies) que se ven en el noventa y nueve por ciento de los museos de antiguallas municipales del mundo entero, donde uno

10

suspira al tener que contemplar los eternos pedazos de sílex o los collares de dientes con los que nuestros lejanos ancestros consideraron necesario llenar sus cuevas. Exponer semejantes cosas siempre me ha parecido tan absurdo como si los arqueólogos del futuro insistieran en exponer nuestros tenedores de plástico y platos de cartón.

Todo transcurrió como si, de antemano, ese señor de Vanuatu hubiera sabido que las baratijas de su país no iban a impresionarme. Lo peor es que estaba en lo cierto. Lo que quizá no había previsto era que aquello iba a atraer mi atención.

Mirándolo más detenidamente, otro detalle de aquel catálogo me intrigó. Un motivo recurrente en el arte oceánico primitivo parecía ser el yam: el ñame, que viene a ser la patata de Oceanía, objeto de auténtico culto. Cuidado con aquellos que se burlarán al leer esto: nuestros hombres prehistóricos también dibujaron sus alimentos. Y sin remontarnos tanto en el tiempo, ¿acaso nuestras naturalezas muertas no rebosan de comida?

A los que pudieran replicarme diciendo: «¡De todos modos, patatas!», respondo que cada uno tiene el caviar que puede. La única constante en la representación artística de los alimentos es que el dibujante (escultor, pintor, etc.) elige manjares raros, y nunca ordinarios. Así, se ha podido demostrar que los hombres de Lascaux se alimentaban exclusivamente de carne de reno –y no existen imágenes de reno en las espléndidas paredes de la catedral. Sempiterna ingratitud del espíritu humano, que prefiere glorificar los pájaros hortelanos y el bogavante antes que el pan al que debe la vida.

En pocas palabras, si los oceánicos han representado el ñame con tanta profusión, significa que era su plato de los días festivos, que resultaba difícil cultivar aquellos tubérculos. Si las patatas eran raras en nuestros cultivos, comer puré sería un acto de esnobismo.

Sin embargo, en el catálogo ningún ñame, ni de hecho ninguna otra representación alimentaria, era originaria de Vanuatu. No había duda, esa gente no soñaba con alimentos. ¿Por qué?

Porque no tenía hambre. Nunca había tenido hambre.

Otra constatación: de todas las islas de Oceanía, la que más había representado el ñame y otros alimentos era Nueva Guinea. También era la isla cuya creación artística me había parecido más rica, viva y original –y no sólo en sus efigies «nutritivas», también en unos objetos de una auténtica sofisticación. ¿Cómo no deducir en primer lugar que esa gente había tenido hambre, y acto seguido que todo eso los había despertado?

Los azares definitivamente propicios de la existencia hicieron que, poco tiempo atrás, conociera a tres súbditos de Vanuatu. Su aspecto era formidable: aquellos tres hombres parecían baobabs.

Tenían del árbol su misma dimensión, la exuberante cabellera y, si me lo permiten, la mirada: unos enormes ojos adormecidos. No hay en esa expresión ningún matiz peyorativo, el sueño no es ninguna tara.

Coincidí en una comida junto a esos tres individuos. En la mesa, los otros comensales comían, es decir que parecían tener apetito y, por consiguiente, engullían bocados a un ritmo sostenido.

Los tres hombres, en cambio, apenas tocaban los alimentos —no a la manera de los ascetas, sino de quien está a punto de levantarse de la mesa. Alguien les preguntó si el plato no era de su agrado: uno de ellos respondió que estaba muy bueno.

—En ese caso, ¿por qué no comen ustedes?

—Porque no tenemos hambre.

Estaba claro que no mentían.

A los otros aquella respuesta les pareció suficiente. Yo llevé la investigación un poco más lejos.

—¿Por qué no tienen hambre? —les pregunté.

Legítimamente, los súbditos de Vanuatu habrían podido molestarse por tener que justificarse sobre semejante cuestión. Ése no fue el caso. El que parecía ser el portavoz debió de considerar que mi pregunta era de recibo: lentamente, como un hombre

13

que tiene el estómago demasiado lleno y que no está acostumbrado a hacer esfuerzos, habló:

—En Vanuatu hay comida por todas partes. Nunca hemos tenido que producirla. Extiendes las manos y en una te cae un coco y en la otra un racimo de plátanos. Te metes en el mar para refrescarte y no puedes evitar recoger espléndidos caracoles, erizos, cangrejos y pescados de refinada carne. Si paseas un poco por el bosque, donde hay demasiados pájaros, te sientes obligado a hacerles el favor de llevarte de sus nidos los excedentes de huevos, y a veces de romperle el gaznate a alguna de esas aves que ni siquiera intentan huir. Las hembras facoqueras tienen demasiada leche, ya que ellas también están sobrealimentadas, y nos suplican que las ordeñemos para librarse de ella: emiten gritos estridentes que sólo cesan si accedes a su petición.

Se calló. Después de un silencio, añadió:

—Es terrible.

Consternado por su propio relato, concluyó:

—Y en Vanuatu siempre ha sido así.

Los tres hombres se miraron con una expresión sombría, compartiendo aquel pesado e inconfesable secreto de la perpetua sobreabundancia, y luego se sumieron en un mutismo abrumador cuyo sentido debía de ser: «No sabe usted lo que es eso.»

La ausencia de hambre es un drama que nadie ha estudiado.

Al igual que esas enfermedades huérfanas por las que la investigación no se interesa, la no-hambre no corre el riesgo de despertar curiosidad: aparte de la población de Vanuatu, no afecta a nadie más.

Nuestra sobrealimentación occidental no tiene nada que ver con eso. Basta salir a la calle para ver a gente muriéndose de hambre. Y, para ganarnos el pan, tenemos que trabajar. En nosotros, el apetito es algo vivo.

En Vanuatu el apetito no existe. Allí se come por complacencia, con el fin de que la naturaleza, que en ese lugar resulta ser la única ama de casa, no se sienta excesivamente ofendida. Ella es la que se encarga de todo: el pescado se pone a guisar sobre una piedra ardiente por el sol, y punto. Y evidentemente está riquísimo, sin esfuerzo alguno –«no hay derecho», tiene uno ganas de quejarse.

¿Para qué inventar postres si el bosque proporciona frutas tan buenas, tan sutiles que comparadas con ellas nuestras golosinas son repugnantes y vulgares? ¿Para qué inventar salsas si el zumo de los caracoles de mar mezclado con la leche de coco tiene un sabor que relega nuestras salsas al rango de repugnantes mayonesas? No es necesario ningún arte para abrir un erizo de mar acabado de coger y para disfrutar con su enloquecedora carne cruda. Algunas guayabas habrán macerado por accidente en el agujero en el que hayan caído: habrá con qué emborracharse. Es demasiado fácil.

Observé un poco a los tres habitantes de esa despensa llamada Vanuatu: eran amables, corteses, civilizados. No destilaban ni el menor síntoma de agresividad: sentías que te hallabas ante una gente profundamente pacífica. Pero tenías la impresión de que estaban un poco hartos: como si nada les interesara. Su vida era un paseo a perpetuidad. Faltaba en ella el sentido de una búsqueda.

Lo opuesto a Vanuatu no resulta difícil de situar: es todo lo demás. Los pueblos tienen en común que han conocido a la fuerza el hambre en uno u otro momento de su historia. La escasez crea vínculos. Y proporciona cosas que contar.

La campeona del estómago vacío es China. Su pasado es una sucesión ininterrumpida de catástrofes alimentarias con muertos a espuertas. La primera pregunta que un chino le hace a otro chino siempre es: «¿Has comido?»

Los chinos han tenido que aprender a comer lo incomible, de allí el refinamiento sin igual en su arte culinario.

¿Existe una civilización más brillante, más ingeniosa? Los chinos lo han inventado todo, pensado todo, entendido todo y se han atrevido a todo. Estudiar China equivale a estudiar la inteligencia.

De acuerdo, pero hicieron trampa. Estaban dopados: tenían hambre.

No se trata aquí de establecer una jerarquía entre los pueblos. Al contrario. Se trata de mostrar que el hambre es su mayor seña de identidad. A los países que nos dan la lata con el carácter supuestamente único de su población, hay que decirles que toda nación es una ecuación que se articula alrededor del hambre.

Paradoja: si las Nuevas Hébridas no lograron suscitar una auténtica codicia en los conquistadores exteriores se debe a que a este archipiélago no le faltaba de nada.

Resulta extraño, ya que la Historia ha demostrado en innumerables ocasiones que los países más colonizados eran los más ricos, los más fértiles, etc. Sí, pero conviene señalar que Vanuatu no es un país rico: la riqueza es el producto de un trabajo, y el trabajo es una noción que no existe en Vanuatu. En cuanto a la fertilidad, presupone que los hombres han cultivado, sin embargo nunca se ha plantado nada en las Nuevas Hébridas.

Así pues, lo que atrae a los depredadores de tierras no es, hablando con propiedad, los países de Jauja sino la labor que los hombres han invertido en ellos: es el resultado del hambre.

El ser humano tiene en común con las otras especies que busca lo que se le parece: allí donde detecta la obra del hambre, identifica su lengua materna, está en tierra conocida.

Me imagino la llegada de los invasores a las Nuevas Hébridas; no sólo no encontraron ninguna resistencia sino que, además, la actitud de los habitantes debió de ser algo así como: «Llegáis en buen momento. Ayudadnos a acabar con este festín, no podemos más.»

Las costumbres humanas hicieron el resto: aquello que no se defiende carece de valor, no vamos a entusiasmarnos por esas islas en las que una población satisfecha, que ni siquiera es capaz de luchar, no ha construido nada.

¡Pobres Nuevas Hébridas! Tener que sufrir un juicio tan injusto ha debido de generar mucha rabia. ¡Y qué humillante debió de resultar verse colonizada por personas que parecían no tener ningunas ganas de permanecer allí!

No soy ajena al tema que me ocupa. Lo que me fascina de Vanuatu es ver en él la expresión geográfica de lo opuesto a mí. El hambre soy yo.

El sueño de los físicos consiste en lograr explicar el universo a través de una única ley. Al parecer, resulta muy difícil. Suponiendo que yo sea un universo, me rijo por esta única ley: el hambre.

No se trata de tener el monopolio del hambre; es la cualidad humana mejor compartida. No obstante, tengo la pretensión de ser una campeona en este dominio. Hasta donde alcanzan mis recuerdos, siempre me he muerto de hambre.

Pertenezco a un medio acomodado: en casa nunca faltó de nada. Eso me hace entender esa hambre como una especificidad personal: no tiene una explicación social.

Conviene precisar, además, que mi hambre debe entenderse en su sentido más amplio: si sólo se hubiera tratado de hambre de alimentos no habría sido tan grave. ¿Pero existe realmente eso de tener sólo hambre de alimentos? ¿Existe un hambre de estómago que no sea el indicio de un hambre generalizada? Por hambre yo entiendo esa falta espantosa de todo el ser, ese vacío atenazador, esa aspiración no tanto a la utópica plenitud como a la simple realidad: allí donde no hay nada, imploro que exista algo.

Durante mucho tiempo deseé descubrir en mí un Vanuatu. A los veinte años, leer de la pluma de Cátulo el verso por el cual se exhorta en vano: «Deja de desear», me permitió entrever que si semejante poeta no lo había logrado, menos lo conseguiría yo.

El hambre es deseo. Es un deseo más amplio que el deseo. No es voluntad, que es una forma de fuerza. Tampoco es debilidad, ya que el hambre no conoce la pasividad. El hambriento es un ser que busca.

Si Cátulo recomienda resignación es precisamente porque él no se resigna. Hay en el hambre una dinámica que prohíbe aceptar el propio estado. Es un deseo que resulta intolerable.

Alguien podrá decirme que el deseo de Cátulo, que está relacionado con la falta de amor, la obsesión debida a la ausencia de la amada, no tiene nada que ver. Sin embargo, mi lenguaje detecta en él un registro idéntico. El hambre de verdad, que no es un capricho de carpanta, el hambre que despechuga y vacía el alma de su sustancia, es la escalera que conduce al amor. Los grandes enamorados fueron educados en la escuela del hambre.

Los seres que nacieron saciados –hay muchos– nunca conocerán esa angustia permanente, esa espera activa, esa febrilidad, esa miseria que despierta día y noche. El hombre se construye a partir de lo que ha conocido en el transcurso de los primeros meses de vida: si no ha experimentado hambre, será uno de los raros elegidos, o de esos raros malditos que no edificarán su existencia en torno a la carencia.

Quizá sea la expresión más cercana a la gracia o a la desgracia de los jansenistas: no sabemos por qué algunos nacen hambrientos y otros saciados. Es una lotería.

A mí me tocó el gordo. No sé si semejante destino resulta envidiable, pero no dudo que tengo en este dominio una competencia extraordinaria. Si Nietzsche hablaba de superhombre, me autorizo a hablar de superhambre.

Superhombre no lo soy; superhambrienta lo soy más que nadie.

Siempre he tenido un excelente apetito, especialmente por lo dulce. Desde luego, tengo que admitir que he conocido campeones del hambre de estómago muy superiores a mí, empezando por mi padre. Pero, en lo que respecta a lo dulce, desafío a cualquier competidor.

Como era de temer, esa hambre trajo consigo los peores contagios: desde muy joven, tuve la lamentable impresión de no recibir nunca la porción congrua. Cuando la pastilla de chocolate había desaparecido de mi mano, cuando el juego terminaba sin ansia, cuando la historia se acababa de un modo tan insuficiente, cuando la peonza dejaba de girar, cuando ya no había más páginas en el libro que, sin embargo, apenas me parecía iniciado, algo se rebelaba dentro de mí. ¡Qué pasa! ¡Menuda estafa!

¿A quién pretendían engañar? ¡Como si fuera suficiente una pastilla de chocolate, una partida ganada demasiado fácilmente, una historia concluida sin peligro, una rotación interrumpida absurdamente, un libro que parecía confundir Roma con Santiago!

Merecía la pena organizar acontecimientos tan grandiosos como las golosinas, los juegos, los cuentos, los juguetes y, *last but not least*, los libros, si era para dejarnos hasta ese punto con nuestra hambre.

Insisto en «hasta ese punto»: no defiendo del todo la saciedad. Es bueno que el alma conserve una parte de su deseo. Pero entre sentirse saciado y tomarme directamente el pelo había un margen.

Los casos más flagrantes eran los cuentos de hadas. Un fabuloso creador de historias sacaba de la nada inicios formidables: allí donde nada existía, instalaba mecanismos sublimes, astucias narrativas que ponían la miel en los labios del espíritu. Había botas de siete leguas, calabazas transformistas, animales provistos de una hermosa voz y de un rico vocabulario, vestidos color luna, sapos que pretendían ser príncipes. ¿Y todo para qué? Para descubrir que el sapo era realmente un príncipe y que por consiguiente era necesario casarse con él y tener muchos hijos.

¿De quién pretendían burlarse?

Era un complot cuyo secreto objetivo debía de ser la frustración.

«Alguien» (¿quién? Nunca lo supe) intentaba engañar mi hambre. Era un escándalo. Por desgracia, a mi indignación le sucedió muy rápidamente la vergüenza, cuando comprobé que los demás niños se conformaban con aquella situación –peor aún, ni siquiera veían qué problema había.

Vergüenza típica de la primera infancia: en lugar de sentirse orgulloso de su mayor nivel de exigencia, vivirlo como una singularidad culpable, ya que el ideal consiste en parecerse en la mayor medida posible a los individuos de tu edad.

Exigencia, sí. A menudo, la vieja oposición entre cantidad y calidad es tremendamente estúpida; el superhambriento no sólo tiene más apetito, tiene sobre todo apetitos más difíciles. Existe una escala de valores en la que lo más genera lo mejor: los grandes enamorados lo saben, los artistas obsesivos también. La cima de la delicadeza tiene a su mejor aliado en la sobreabundancia.

Sé de lo que hablo. Niña superhambrienta de dulce, no dejaba de buscar mi pitanza: mi búsqueda de lo dulce era mi búsqueda del Grial. Mi madre reprobaba y reprimía aquella pasión y pretendía engañarme dándome, en lugar del chocolate suplicado, un queso que me resultaba repulsivo, huevos duros que me indignaban y manzanas sosas que me resultaban indiferentes.

Y mi hambre no sólo no mordía el anzuelo sino que se agravaba. Por el hecho de recibir aquello que no deseaba, todavía tenía más hambre. Me encontraba en la aberrante situación de ser una hambrienta a la que tienen que obligar a comer.

Sólo la superhambre se pervierte en hambre de cualquier cosa. En su estado primigenio y no contrariado, la superhambre sabe muy bien lo que quiere: quiere lo mejor, lo deleitable, lo espléndido, y se encarga de descubrirlo en cada dominio del placer.

Cuando me quejaba de la prohibición de dulces, mi madre me decía: «Se te pasará.» Error. No se me pasó. Al alcanzar mi independencia alimentaria, empecé a nutrirme exclusivamente de golosinas. Y en eso sigo. Y me va de maravilla. Nunca me he encontrado mejor. Nunca es tarde si la dicha es buena.

«Demasiado dulce»: la expresión me parece tan absurda como «demasiado bonito» o «demasiado enamorado». No existen cosas demasiado hermosas: sólo existen percepciones cuyo apetito de belleza es mediocre. Y que no me vengan con el barroco opuesto a lo clásico: aquellos que no ven la sobreabundancia que explota en el mismísimo corazón del sentido de la medida tienen una percepción muy pobre.

—Tengo hambre —le decía a mi madre rechazando sus ofrendas engañabobos.

—No, no tienes hambre. Si tuvieras hambre, te comerías lo que te doy —la oí decir miles de veces.

—¡Tengo hambre! –protestaba yo.

—Es una buena enfermedad –concluía ella invariablemente.

Aquel desenlace de no-recibir siempre me desconcertaba. Una enfermedad. Buena. ¡Lo que hay que oír!

Más tarde aprendí la etimología de la palabra «enfermedad». Era «dificultad para decir».[1] El enfermo era aquel que tenía dificultades para decir algo. Su cuerpo hablaba en su lugar en forma de enfermedad. Una idea fascinante, que sugería que si uno conseguía decir, dejaría de sufrir.

Si el hambre era una buena enfermedad, ¿cuál era esa cosa buena que había que decir y que me curaría de ella? ¿Qué clase de misterio escondía? ¿Qué enigma era necesario resolver para no sentir la llamada de lo dulce hasta ese punto?

A los tres años, a los cuatro años, no estaba en condiciones de hacerme esta clase de preguntas. No obstante, sin saberlo, buscaba a tientas para hallar la respuesta –y me quemaba, ya que fue entonces cuando empecé a contarme cuentos a mí misma.

¿Qué es una historia cuando uno tiene cuatro años? Es un concentrado de vida, de sensaciones fuertes. Una princesa encerrada era torturada. Unos niños abandonados eran reducidos a la más doloro-

---

1. Juego de palabras entre *maladie*, «enfermedad» y *mal à dire*, «dificultad en decir». *(N. del T.)*

sa de las miserias. A un héroe se le concedía el don de volar por el cielo. Unas ranas me tragaban y saltaba dentro de su estómago.

Cuando Rimbaud, cuyo talento tanto le debe a la infancia, se refiere con asco a la poesía «horriblemente insulsa» de sus contemporáneos, su reivindicación es la del niño que exige algo potente, vertiginoso, insoportable, asqueroso, raro, ya que, al fin y al cabo, «a nuestro deseo le falta una música sabia».

El fondo de las historias que me contaba a mí misma no importaba tanto como la forma, que nunca fue escrita: no obstante, sería impropio calificarlas de orales, ya que, dentro de mi cabeza, aquel murmullo nunca llegó a manifestarse a través de la voz. Tampoco eran historias pensadas, ya que en ellas el sonido tenía una importancia capital —el sonido a cero decibelios, que sólo es suma de vibraciones de cuerdas mudas y ritmos puramente craneales, a los que sólo se puede comparar el ruido de las estaciones de metro desiertas cuando no pasa ningún tren. Es con esa especie de sordo mugido como mejor estimula el espíritu.

El estilo era febril. Febril era el príncipe obsesionado con descubrir las zonas de espanto de la princesa, febriles eran los niños que sustraían a la naturaleza para subsistir, febril era el caótico despegue del héroe, febril era la digestión de la rana en cuyo vientre yo vivía. Era esa manera de ser febril lo que me llevaba al trance en mis historias interiores.

28

Cuando a base de búsquedas clandestinas descubría chucherías, nubes u ositos de goma, me aislaba y masticaba lo robado con ardor, y mi cerebro secuestrado por la urgencia del placer provocaba cortocircuitos, tan alto era el voltaje de mi éxtasis que no respetaba las normas del contador eléctrico, y me hundía en la embriaguez para ascender mejor a través de su géiser terminal.

Si mi padre no hubiera sido siempre el hombre más ocupado del mundo, supongo que lo habría visto entrar más a menudo en la cocina con actitud tensa y revolverlo todo a la búsqueda de algún alimento prohibido a la fuerza, ya que se suponía que comer entre horas no le estaba permitido a aquel bulímico empedernido. Las raras veces en las que pude observarlo dejarse vencer por esa tentación, acababa por huir, llevándose consigo un confuso puñado de alimentos, pan, cacachuetes, cualquier cosa –el contenido de una mano avergonzada.

Papá es un mártir alimentario. Es un individuo al cual el hambre le fue inyectada a la fuerza desde el exterior y luego reprimida a perpetuidad. Él, que fue un niño delicado, sensible y enclenque, fue obligado a comer en nombre de un chantaje afectivo de tales dimensiones que le llevó a abrazar la causa de sus verdugos (sobre todo su abuela materna) y a imprimir a su estómago las dimensiones del universo.

Es un hombre al que le jugaron una mala pasada: le impusieron la obsesión de comer y, cuando estuvo bien poseído, le pusieron a régimen hasta el final de sus días. Mi pobre padre conoció este absurdo destino: la contrariedad es su patrimonio.

Come a una velocidad espeluznante, no mastica nada, y lo hace con tanta angustia que parece no experimentar ningún placer. Siempre me sorprende cuando oigo que alguien lo califica de *bon vivant*. Sus curvas le engañan: es la ansiedad personificada, incapaz de disfrutar del presente.

Mi madre decidió muy rápidamente que yo era mi padre. Allí donde había parecido, ella vio identidad. A los tres años, yo recibía a las hordas de invitados de mis padres afirmando en un tono fatigado: «Yo soy Patrick.» La gente se quedaba estupefacta.

En realidad, estaba tan acostumbrada a que, al presentar a sus tres hijos, mi madre acabara con la más pequeña diciendo: «Y ella es Patrick», que me adelantaba a ella. Así pues, llevaba vestidos, el pelo largo y rizado y me llamaba Patrick.

Su error me molestaba. Sabía perfectamente que yo no era Patrick. Y no sólo porque yo no era ningún señor. Si bien era cierto que me parecía más a mi padre que a mi madre, no por ello la diferencia entre él y yo dejaba de ser menos fundamental.

Por más que mi padre fuera cónsul, no dejaba de ser un esclavo. En primer lugar, de sí mismo: nunca he conocido a nadie exigir de sí mismo tanto trabajo, esfuerzo, rendimiento, obligaciones. También era esclavo de su manera de alimentarse: perpetuamente hambriento, esperando con dolorosa impaciencia una pitanza que no era escasa pero que, a juzgar por la velocidad supersónica con la que era engullida, lo parecía. Y, por último, esclavo de su incomprensible concepción de la vida, que quizá era, por otra parte, una ausencia de concepción, lo que no impedía que fuera esclavo de ella.

Si bien mi madre no era la jefa de mi padre, sí era la administradora de su esclavitud alimentaria. Ella ostentaba el poder nutricional. Semejante situación suele ser corriente en las familias. Sin embargo, me da la impresión de que, en el caso de mis padres, este poder tuvo un impacto mayor. Ambos mantenían una relación obsesiva con los alimentos –siendo el caso materno todavía más difícil de delimitar.

Yo, en cambio, era lo opuesto a un esclavo, puesto que era Dios. Reinaba sobre el universo y en particular sobre el placer, prerrogativa de prerrogativas que me mantenía ocupada durante todo el día. Mamá me racionaba lo dulce pero eso no era grave: las ocasiones de disfrute eran numerosas, bastaba que yo las provocara.

No por ello dejaba de parecerme irritante que mi madre me identificara con mi padre. Éste, demasiado satisfecho de que le atribuyeran un doble, suscribió sus puntos de vista y también declaró que yo era él. En mi cabeza, yo pataleaba, incapaz como era de demostrar su confusión.

Me habría gustado señalarles quién era, quién estaba convencida de ser. Era el desencadenamiento, el ser, la ausencia radical de no-ser, el río en su más alto caudal, el dispensador de existencia, el poder a implorar.

Esa convicción me venía de los motivos expuestos en mi tratado sobre la metafísica de los tubos, pero también de la superhambre. Había comprendido que era la única en ser alcanzada por ella. Mi padre era bulímico, mi madre estaba obsesionada con los alimentos, mis dos hermanos mayores eran normales, al igual que todas las personas que gravitaban a nuestro alrededor. Yo era la única que estaba en posesión de aquel tesoro, que sería la fuente de ambigua vergüenza a partir de mis seis años, pero que, a los tres, a los cuatro, se me aparecía como lo que era: una supremacía, la señal de una elección.

La superhambre no era la posibilidad de sentir más placer, era la posesión del principio mismo del disfrute, que es el infinito. Yo era el yacimiento de esa necesidad tan grandiosa que todo acababa estando a mi alcance.

Mamá consideraba necesario contrariarme, ya que yo era mi padre y mi padre debía ser contrariado. «Es para que no te vuelvas como tu padre», me decía. Aquello carecía de lógica, ya que, según ella, yo ya era Patrick.

Además, mi padre no se sentía especialmente atraído por lo dulce. Y, por otro lado, no tenía ninguna pretensión de divinidad. Disparidades tan flagrantes, sin embargo, no abrieron los ojos de mi madre respecto a mi diferencia fundamental.

Si Dios comiera, comería azúcar. Los sacrificios humanos o animales siempre me han parecido una auténtica aberración: ¡qué despilfarro de sangre para un ser que se habría sentido la mar de feliz con una avalancha de caramelos!

Conviene matizar. Dentro de las golosinas, las hay más o menos metafísicas. Una larga investigación me ha llevado a la siguiente constatación: el alimento teologal es el chocolate.

Podría multiplicar las pruebas científicas, empezando por la teobromina, que es el único que la contiene y cuya etimología es llamativa de por sí. Pero eso me daría la sensación de estar, de algún modo, insultando al chocolate. Su divinidad me parece más destacada que las apologéticas.

¿Acaso no basta tener en la boca un chocolate del bueno no sólo para creer en Dios sino también para sentirse en su presencia? Dios no es el chocolate, es el reencuentro entre el chocolate y un paladar capaz de apreciarlo.

Dios era yo en estado de placer o de placer potencial: así pues, nunca dejaba de ser yo.

Aunque mi divinidad no era comprendida de un modo consciente por mis padres, a veces sí tenía la impresión de que una oscura parte de su cerebro estaba al corriente y la aceptaba. Yo gozaba de un estatus especial. Así, cuando llegó la hora de escolarizarme, no me matricularon en la escuela americana, a la que iban mi hermano y mi hermana; me inscribieron en el *yôchien*, el *Kindergarden* japonés de la esquina.

Así pues, aterricé en la *tampopogumi* (clase de los cardillos). Me entregaron el uniforme: falda azul marino, chaqueta azul marino, gorra azul marino y una pequeña cartera sujeta a la espalda. En verano, aquella indumentaria era sustituida por una bata que cubría todo el cuerpo como una tienda de campaña, culminada por un sombrero de paja puntiagudo: me parecía ir disfrazada de tejado. Yo era como una casa de varios pisos.

Todo esto parece la mar de mono, pero resultaba abyecto. Desde el primer día, experimenté una ilimitada aversión por el *yôchien*. La *tampopogumi* era la antesala del ejército. Yo estaba de acuerdo en hacer la guerra, pero marcar el paso de la oca, a toque de pito, obedecer las voces acompasadas de sargentos disfrazadas de maestras, estaba por debajo de mi dignidad y debería haber estado por debajo de la dignidad de los demás.

Yo era la única no-nipona del *yôchien*. Eso, sin embargo, no me llevará a afirmar que mis condiscípulos se conformaran con semejante situación. Además, resultaría infame pensar que, con el pretexto de pertenecer a uno u otro pueblo, uno mantiene relaciones con la esclavitud.

En realidad, sospecho que los demás niños lo vivieron igual que yo: fingíamos. Las fotografías de la época así lo demuestran: se me ve sonreír junto a mis compañeros, se me ve coser tranquilamente en las clases de costura, con la mirada fija sobre mis labores que terminaba aplicadamente. Sin embargo, recuerdo perfectamente mis pensamientos en el seno de la *tampopogumi*: estaba permanentemente indignada, furiosa y aterrorizada al mismo tiempo. Las maestras eran todo lo contrario que mi dulce aya Nishio-san y por eso las odiaba. La suavidad de sus rostros era una traición añadida.

Recuerdo una escena. Una de las sargentos estaba empeñada en que cantáramos, en perfecto coro, una cancioncilla llena de entusiasmo, pregonando nuestra alegría por ser unos disciplinados y sonrientes cardillos. De entrada, yo había decidido que cantar esa canción iba en contra de mis principios y me aproveché del efecto coral para simular el canto del mismo modo que simulaba la complacencia escolar: mi boca esbozaba la letra sin que ninguna cuerda vocal colaborase. Me sentía muy orgullosa de aquella estratagema, que constituía una forma de desobediencia la mar de cómoda.

La maestra debió de darse cuenta de mi triquiñuela ya que, un día, dijo:

—Vamos a cambiar el ejercicio: cada alumno cantará dos frases del himno de los cardillos y luego dejará que su vecino tome el relevo, y así sucesivamente hasta el final.

En esta ocasión, la alarma no sonó enseguida en mi cabeza. Decidí hacer una excepción a mi regla y, por una vez, cantar de verdad. Poco a poco, fui tomando conciencia de que no me sabía la letra en absoluto: mi cerebro había rechazado hasta tal punto el himno de los cardillos que no había retenido ni una sola palabra. Cuando fingían, mis labios no imitaban lo que deberían haber pronunciado, se movían de cualquier manera en una especie de anárquico mutismo.

37

Mientras tanto, la canción seguía avanzando inexorablemente, como un hilera de fichas de dominó. Aparte de un terremoto, la única cosa que habría podido salvarme habría sido la irrupción, antes de que llegara mi turno, de otro simulador. Dejé de respirar.

No hubo ningún otro listillo y el momento fatídico llegó: abrí la boca y nada salió de ella. El himno de los cardillos, que hasta aquel momento había corrido alegremente de labios en labios y a un ritmo mantenido, cayó en un abismo de silencio que llevaba mi nombre. Todas las miradas se volvieron hacia mí, empezando por la de la maestra. Falsamente amable, fingió creer que había tenido un minúsculo lapsus de memoria y pretendió volver a incorporarme a la rueda apuntándome la primera palabra de mi fragmento de canción.

Inútil. Estaba paralizada. Ni siquiera pude repetir la palabra. Tenía demasiadas ganas de vomitar. Ella insistió, sin resultado. Me concedió una palabra suplementaria, en vano. Me preguntó si me dolía la garganta, no respondí.

Lo peor fue cuando me preguntó si entendía lo que me estaba diciendo. De este modo sugería que, de haber sido yo japonesa, no habría habido problema —que si hubiera hablado su idioma, habría cantado como las demás.

Sin embargo, yo hablaba japonés. Simplemente me sentía incapaz de demostrarlo en aquel momen-

38

to: había perdido la voz. Eso tampoco era capaz de decirlo. Y, en los ojos de los cardillos, leí el siguiente y terrible mensaje: «¿Cómo es posible que todavía no nos hubiéramos dado cuenta de que no era nipona?»

El episodio concluyó con la atroz indulgencia de la maestra hacia esa pequeña extranjera que no tenía la competencia de los excelentes cardillos nacionales. El cardillo belga debía de ser un subcardillo. Y el siguiente niño cantó lo que yo no había podido cantar.

En casa, no me atreví a comentar el odio que me inspiraba el *yôchien*. Quizá me habrían matriculado en la escuela americana y habría perdido mi singularidad más flagrante. Además, había observado que cuando mi hermano y mi hermana hablaban inglés, yo no entendía nada. Eso constituyó un escandaloso descubrimiento intelectual para mí: una lengua incomprensible.

Así pues, existía un tipo de lenguaje al que no podía acceder. En lugar de pensar que aprendería fácilmente aquel nuevo territorio del verbo, lo condené por crimen de lesa divinidad: ¿con qué derecho se me resistían aquellas palabras? Jamás me rebajaría a pedir su clave. Les correspondía a ellas ponerse a mi nivel, hacerse merecedoras del insigne honor de superar la muralla de mi cabeza y la barrera de mis dientes.

Yo sólo hablaba un idioma: el franponés. Quienes creían que se trataba de dos lenguas distintas pecaban de superficialidad, se detenían en detalles nimios como el vocabulario o la sintaxis. Estas naderías no deberían haberles impedido apreciar no sólo los objetivos puntos en común, sino también la latinidad de las consonantes o la precisión de la gramática, pero sobre todo ese metafísico parentesco que las unía por elevación: lo deleitable.

¿Cómo no tener hambre de franponés? Esas palabras de sílabas perfectamente diferenciadas las unas de las otras, de sonoridad clara, eran auténticos sushis, bocados garrapiñados, tabletas de chocolate de las cuales cada porción verbal podía recortarse con facilidad, eran galletas para el té ceremonial, cuyo envoltorio individual proporcionaba el placer de desnudarlas y la diferenciación de sabores.

No tenía hambre de inglés, esa lengua excesivamente cocida, puré de sonidos sibilantes, chicle mascado que se pasaba de boca en boca. El angloamericano ignoraba lo crudo, lo asado, lo frito, lo cocido al vapor: sólo conocía lo hervido. Apenas se articulaba, como en esas comidas de gente extenuada que engulle sin decir palabra. Era un comistrajo sin civilizar.

Mi hermano y mi hermana adoraban la escuela americana, y yo tenía motivos para pensar que, aunque de un modo distinto, allí habría podido ser libre y estar tranquila. Sin embargo, todavía prefería continuar mi servicio militar en el idioma del deleite que jugar en la lengua hervida.

Enseguida encontré la solución: bastaba escaparse del *yôchien*.

El procedimiento era simple: esperaba al patio de las diez de la mañana, fingía tener alguna necesidad imperiosa, me encerraba en los servicios, abría la ventana utilizando la taza del retrete como taburete de escalada. El momento más fabuloso era el del salto al vacío. Armada con tanto heroísmo, galopaba a toda velocidad hasta la salida de servicio.

La exaltación empezaba en el momento de pisar la calle. El mundo no era distinto al que yo veía cada día durante el paseo: no dejaba de ser un pueblo japonés de montaña, a principio de los años setenta. Pero por obra y gracia de mi evasión, ya no se trataba de mi barrio sino de mi conquista. Aquel territorio se hacía eco de la embriaguez de mi insurrección.

Lo que descubría entonces se llamaba libertad en su sentido más concreto. Ya no estaba encadenada con los presidiarios de la guardería, ni siquiera estaba bajo la suave tutela de mi aya: resultaba increíble pensar que podía hacer cualquier cosa, tumbarme en medio de la calzada, tirarme a las alcantarillas, caminar sobre las tejas de los altos muros que hacían invisibles las casas, subir hasta el pequeño lago verde –aquellos actos, que en sí mismo no habrían tenido nada de excepcional para mí, adquirían un sofocante prestigio a través de mi libertad.

La mayoría de las veces no hacía nada. Me sentaba al borde del callejón y miraba a mi alrededor la metamorfosis del universo, al que mi valentía había devuelto el legendario aspecto de su mítico pasado. Así pues, la pequeña estación de Shukugawa se convertía en algo tan sublime como el castillo blanco de Himeji, la vía férrea, que es la virtud nipona mejor compartida, cedía el paso a un dragón de cercanías, la reguera era un río furioso que los caballeros temían atravesar, las montañas se escarpaban hasta parecer inalcanzables, y cuanto más hostil parecía el paisaje, más hermoso era.

La cabeza me daba vueltas ante tanto esplendor, las piernas me devolvían a mi casa para dormir la mona de mi epopeya.

—¿Ya está aquí? —se sorprendía Nishio-san.

—Sí. Hoy la cosa acabó antes.

«La cosa» empezó a acabar antes con una sospechosa regularidad. Nishio-san me respetaba demasiado para ir más lejos en su investigación. Por desgracia, una sargento pasó un día por casa para dar cuenta de mis desapariciones.

La reacción fue de indignación. Yo fingí ingenuidad.

—Creía que las clases terminaban a las diez.

—Ya no lo creas más.

Fue necesario resignarse a ser un cardillo cuatro horas al día.

Afortunadamente, me quedaban las tardes. Tenía hambre de esta ociosidad. También odiaba esa impresión de estar a cargo del *yôchien* y sus silbatos tanto como adoraba entregarme a mí misma. Desfilar tras la bandera de la maestra era seguramente un destino cruel; jugar en el jardín con mi arco y mis flechas me recordaba mi auténtica naturaleza.

Había otras actividades maravillosas, vaciar la lavadora con Nishio-san y lamer la ropa que ella tendía —mordía las sábanas limpias salivando para sentir ese delicioso sabor a jabón en la boca.

Me vieron disfrutar tanto que, con motivo de mi cuarto aniversario, me regalaron un minúsculo recipiente para la colada que funcionaba con pilas. Había que llenarlo de agua, añadir una cucharada de detergente en polvo y tu pañuelo. Luego cerrabas la máquina, apretabas el botón y mirabas cómo el contenido daba vueltas. Luego había que abrir y vaciar.

A continuación, en lugar de coger el pañuelo para que se secara estúpidamente, lo guardaba en la boca y lo masticaba. Sólo lo escupía cuando el sabor de jabón había desaparecido. Entonces era conveniente volverlo a lavar, a causa de la saliva.

Tenía hambre de Nishio-san, de mi hermana y de mi madre: necesitaba que me tomaran en brazos, que me abrazaran con fuerza, tenía hambre de sus ojos posados sobre mí.

Tenía hambre de la mirada de mi padre, pero no de sus brazos. Mi vínculo con él era cerebral.

No tenía hambre de mi hermano, como tampoco la tenía de otros niños. No tenía nada contra ellos; no despertaban en mí ningún tipo de apetito.

Así pues, mi hambre de seres humanos era feliz: las tres diosas de mi panteón no me negaban su amor, mi padre no me negaba sus ojos y el resto de la humanidad no me molestaba demasiado.

Suplicando y engatusando a Nishio-san, podía conseguir de ella caramelos, pequeños paraguas de chocolate o, en ocasiones, incluso, oh milagro, un poco de *umeshû:* el alcohol era la cima de lo dulce, la prueba de su divinidad, el momento álgido de su existencia.

El licor de ciruela era un jarabe que te subía a la cabeza: no había nada mejor en el mundo.

Nishio-san no se dignaba darme *umeshû* a menudo.

—No es para niños.

—¿Por qué?

—Emborracha. Es para los adultos.

Extraño razonamiento. La embriaguez, yo sabía lo que era: me encantaba. ¿Por qué reservarla para los adultos?

Las prohibiciones nunca eran demasiado graves: bastaba con evitarlas. Me puse a vivir mi pasión por el alcohol en la misma clandestinidad que mi pasión por lo dulce.

Mis padres eran profesionales de lo mundano. Nuestra casa era escenario de innumerables cócteles. No se requería de mi presencia. Sin embargo, tenía derecho a pasar por allí, si eso me apetecía. Decía: «Yo soy Patrick.» La gente se extasiaba y me dejaban en paz. Hechas las formalidades, me dirigía al bar.

Nadie me veía coger las copas de champán abandonadas y a medio vaciar. De entrada, el vino dorado con burbujas fue mi mejor amigo: aquellos burbujeantes sorbos, el placer del baile de las papilas, esa manera de emborrachar tan rápido y de un modo tan liviano, era lo ideal. La existencia estaba bien concebida: los invitados se marchaban, el champán se quedaba. Yo vaciaba las copas en mi gaznate.

Ebria a las mil maravillas, iba a dar vueltas al jardín. Daba menos vueltas que el cielo. La rotación universal era tan visible y tan sensible que gritaba de éxtasis.

En el *yôchien*, a veces tenía resaca. El cardillo belga andaba más torcido que los demás, y a una extraña cadencia. La autoridad me sometió a un test y se dictaminó que sufría de arritmia, lo cual me prohibía el acceso a algunas carreras admirables. Nadie sospechaba que el alcoholismo era la explicación de mi hándicap.

Sin querer glorificar el alcoholismo infantil, debo señalar que jamás supuso ningún problema para mí. Mi infancia se adaptaba muy bien a mis pasiones. No era una debilucha, mi cuerpo enclenque se curtía para la superhambre.

Estaba extraordinariamente mal hecha. Unas fotografías en la playa así lo atestiguan: una cabeza enorme sobre unos hombros débiles, brazos demasiado largos, un tronco excesivamente grande, unas piernas minúsculas, enclenques y patizambas, el pecho hundido, el vientre hinchado y proyectado hacia delante a causa de una dramática escoliosis, la desproporción reinando como dueña y señora –parecía una anormal.

Me daba lo mismo. Nishio-san decía que era muy hermosa, con eso me bastaba.

En casa, vivía atiborrada de belleza humana gracias al espectáculo de mi madre y de mi hermana. Mamá era un esplendor conocido, una religión revelada a la luz de las masas. Me quedaba boquiabierta ante ella como ante una estatua, pero me cebaba todavía más con la hermosura de Juliette, que me resultaba más accesible. Dos años mayor que yo, una encantadora cabecita sobre un cuerpo delicado, fino, con cabellos de hada y expresiones de una frescura desgarradora, llevaba a la perfección su nombre de niña fatal.

Consumir belleza no la alteraba: podía mirar a mi madre durante horas, podía devorar con los ojos a mi hermana sin que le faltara ningún trozo. Lo mismo ocurría con el placer de contemplar las montañas, los bosques, el cielo y la tierra.

La superhambre trajo consigo la supersed. Rápidamente, descubrí una increíble facultad dentro de mí: la potomanía.

Adorar el alcohol no me impedía venerar el agua, a la que tan unida me sentía. El agua iba dirigida a una sed distinta a la del alcohol: mientras este último apelaba a mi necesidad de ardor, de guerra, de baile, de sensaciones fuertes, el agua, en cambio, le murmuraba alocadas promesas al desierto ancestral contenido en mi garganta. Si descendía un poco dentro de mí, enseguida redescubría territorios de una apabullante aridez, orillas que llevaban miles de años esperando la crecida del Nilo. Experimentar la revelación de aquel estiaje me proporcionó una eterna sed de agua.

Los textos místicos rebosan de sedes insaciables: resulta molesto, ya que se trata de una metáfora. En la realidad, el gran místico bebía juntando las manos algunos sorbos de una fuente o de palabras divinas, y se acabó.

La sed que yo aprendí, en cambio, no tenía nada de metafórica: cuando sufría un ataque de potomanía, podía beber hasta el fin de los tiempos. En la fuente de los templos, allí donde el agua renovada permanentemente era la mejor, llenaba sin cesar el cucharón de madera y bebía el milagro mil veces inagotable. El único límite era mi capacidad, que resultaba ser inmensa: no sospechamos lo que pueden llegar a contener esos pequeños bidones.

Lo que el agua me decía era maravilloso: «Si quieres, puedes beberme. Ni un sorbo de mí te será negado. Y ya que tanto me amas, te concedo un don, el de tener un constante deseo de mí. Contrariamente a esa pobre gente que deja de tener sed a medida que bebe, tú, cuanto más me bebas, mayor será tu deseo de mí, y más vivo tu placer de saciarlo. Un destino fabuloso ha querido que yo sea para ti el soberano bien, precisamente aquel cuya absoluta generosidad te será concedida. No temas, nadie vendrá a decirte que te detengas, puedes continuar, soy tu prerrogativa, escrito está que te será concedida sin medida, sólo a ti que contienes la suficiente sed para satisfacerme.»

El agua tenía el sabor de la piedra de la fuente: era tan buena que, de no haber tenido siempre la boca llena, habría deseado gritar. Su helada dentellada me perforaba la garganta y hacía que se me saltaran las lágrimas.

Lástima que a menudo pasaran peregrinos a quien debía prestar el único cucharón de madera. No sólo me resultaba irritante ser interrumpida, sino también serlo por algo tan insignificante. Cada uno llenaba directamente del surtidor el cucharón gigante, tomaba un sorbo y vaciaba el recipiente. Merecía la pena. El colmo llegaba con aquellos que escupían el agua al suelo. Qué insulto.

Para ellos, el paso por la fuente sólo era un ritual de purificación al término del cual irían a rezar en el templo sintoísta. Para mí, el templo era la fuente, y beber era la oración, el acceso directo a lo sagrado. ¿Y por qué conformarse con un sorbo de lo sagrado cuando hay tanto por beber? De todas las bellezas, el agua era la más milagrosa. Era la única que no consumías únicamente con los ojos y que, sin embargo, no disminuía. Bebía litros y seguía quedando la misma cantidad.

El agua desalteraba sin alterarse y sin alterar mi sed. Me enseñaba el auténtico infinito, que no es una idea o una noción, sino una experiencia.

Nishio-san rezaba sin convicción. Le pedí que me explicara la religión sintoísta. Dudó, y luego pareció decidir que no iba a complicarse la vida con largos discursos, y me respondió:

—El principio es que todo aquello que es hermoso es Dios.

52

Excelente. Me pareció sorprendente que Nishio-san no se sintiera más entusiasta. Más adelante, me enteré de que ese principio había elegido como belleza suprema al Emperador, que era más bien feo, y entendí mejor la blandura religiosa de mi aya. Pero en aquella época no lo sabía, e incorporé inmediatamente aquel principio, al igual que incorporé lo sagrada que era el agua.

Incorporación transitoria: de regreso a casa, me instalaba en el servicio y me convertía en fuente.

Mi padre y mi madre habían sido educados en la fe católica, que perdieron en el momento de nacer yo. Resultaría gloriosamente terrible que existiera una relación causa-efecto, pero, por desgracia, parece ser que mi aparición en este mundo no desempeñó ningún papel en esta pérdida mística: lo determinante fue su descubrimiento de Japón.

En su juventud, a mis padres les habían contado que el cristianismo —e incluso el catolicismo— era la única religión buena y verdadera. Los habían atiborrado con ese dogma. Llegaron al Kansai y se encontraron con una civilización sublime en la que, sin embargo, el cristianismo no había desempeñado ningún papel: consideraron que les habían engañado respecto a la religión y tiraron las frutas frescas con las pochas y, de paso, cualquier rastro de misticismo.

Eso no quitaba para que conocieran muy bien la Biblia, que afloraba constantemente en su lenguaje, pesca milagrosa por aquí, mujer de Putifar por allá, aceite de la viuda y multiplicación de los panes cada dos por tres.

Aquel texto fantasma y, no obstante, tan presente no podía sino apasionarme; a eso se añadía el miedo a ser sorprendida leyéndolo –«¡Estás leyendo los Evangelios cuando existe *Tintín!*» Leía *Tintín* con placer y la Biblia con un espanto muy agradable.

Me gustaba ese terror que me recordaba el que experimentaba cuando seguía un itinerario conocido que me llevaba hacia lo desconocido, allá donde resonaba la potente y oscura voz que me decía frases cavernosas, «recuerda, soy yo quien vive, soy yo quien vive dentro de ti», aquello asustaba como una pesadilla diurna, mi única certeza era que aquella oscuridad parlante no me era ajena, si era Dios, significaba que Dios habitaba dentro de mí, y si no era Dios, significaba que aquello que no era Dios estaba creado para mí, lo cual equivalía a Dios, en fin, poco importaba aquella apologética, Dios estaba presente en el hecho de tener constantemente sed de la fuente, esa virulenta espera mil veces saciada, satisfecha hasta el éxtasis inagotable y que, sin embargo, nunca quitaba la sed, milagro del deseo culminante en el culminante goce.

Así pues, creía en Dios sin excluirme de él –y sin pronunciar su nombre, ya que había compren-

dido que, en casa, el tema no era recibido en olor de
santidad. Era una fe secreta que vivía en silencio,
una especie de cruce entre creencia paleocristiana y
sintoísmo.

Para empezar, seguro que viviría con menos plenitud. Sabía que iba a marcharme de Japón, lo cual no dejaría de constituir un monumental fracaso. A los cuatro años, había abandonado ya la edad sagrada, y no era una divinidad, pese a que Nishio-san todavía intentaba convencerme de lo contrario. Si bien conservaba vivo dentro de mí el sentimiento de mi asociación divina, en el *yôchien* y otros lugares comprobaba diariamente las pruebas de que, a ojos de los demás, había pasado a formar parte de la especie común. A las primeras de cambio, el paso del tiempo anunció su color de naufragio.

No tenía amigos entre los cardillos ni pretendía tenerlos. Desde el asunto de la canción-dominó, la *tampopogumi* me miraba mal. No me importaba lo más mínimo.

Por desgracia, fugarse estaba fuera de lugar y padecía los recreos junto a los demás. Si un columpio quedaba libre, corría a aislarme y ya no lo soltaba, ya que se trataba de una posición estratégica muy codiciada.

Un día, mientras descansaba cómodamente sentada en el columpio, me di cuenta de que el enemigo me rodeaba por todos lados. Los que me rodeaban no eran sólo los alumnos de la *tampopogumi,* sino los niños de toda la escuela –todos los niños de entre tres y diez años de la región de Shukuga me observaban con frialdad. Cómplice, el columpio se inmovilizó.

La multitud infantil se abalanzó sobre mí. Oponer resistencia no habría servido de nada: me dejé agarrar como una agobiada estrella de rock. Me tumbaron en el suelo y unas manos de propietarios desconocidos me desnudaron. Reinaba un silencio de muerte. Una vez desnuda, me observaron con atención. No hubo ningún comentario.

Una de las sargentos se acercó vociferando y, cuando vio mi estado, les gritó a los chicos:

–¿Por qué habéis hecho esto? –les preguntó temblando de cólera.

–Queríamos ver si era totalmente blanca –dijo un improvisado portavoz.

La maestra, furiosa, les gritó que aquello estaba muy mal, que habían deshonrado a su país, etc., y luego se acercó a mi desnudez tumbada, se arrodilló y ordenó a los niños que me devolvieran mi ropa. Sin decir palabra, fulano trajo un calcetín, mengano la falda y así sucesivamente, un poco desolados de restituir aquel botín de guerra, pero disciplinados y solemnes. El adulto volvía a ponerme cada prenda por orden de llegada; estuve sucesivamente desnuda con un calcetín, luego desnuda con un calcetín y la pequeña falda, etc., hasta que el edificio inicial quedó totalmente reconstituido.

Los chicos recibieron la orden de disculparse: juntos pronunciaron con voz monocorde un «gomen masai» de tribunal militar ante mi seria indiferencia. Luego, se marcharon corriendo con la música a otra parte.

—¿Estás bien? —preguntó la sargento.

—Sí —dije con altivez.

—¿Quieres marcharte a casa?

Acepté, pensando que menos daba una piedra. Telefonearon a mi madre, que vino a recogerme.

Mamá y Nishio-san admiraron mi frialdad ante la adversidad: no parecía excesivamente afectada por el ultraje sufrido. En mi fuero interno, sentía de un modo confuso que si mis agresores hubieran sido adultos, mi reacción habría sido distinta. Pero había sido desnudada por niños de mi edad: sólo se trataba de uno de los riesgos de la guerra.

Tener cinco años resultó desastroso. La confusa amenaza que planeaba sobre nuestras cabezas desde hacía dos años se concretó bruscamente: nos marchábamos de Japón. Traslado a Pekín.

Por mucho que supiera desde hacía tiempo que semejante drama iba a producirse, no estaba preparada. ¿Acaso podía uno armarse contra el fin del mundo? Abandonar a Nishio-san, ser arrancada de aquel universo de perfección, partir hacia lo desconocido: era para vomitar.

Viví los últimos días con una impresión de caos absoluto. Aquel país que, desde hacía cincuenta años, temía la llegada del gigantesco terremoto que le habían anunciado no se daba cuenta de la inminencia de la catástrofe: ¿acaso el suelo no se estaba ya moviendo por el hecho de que mi persona iba a ser catapultada tan lejos? No había límites para mi espanto interior.

60

Llegó el momento fatídico: fue necesario subir al coche que salía hacia el aeropuerto. Delante de mi casa, Nishio-san se arrodilló en la mismísima calle. Me tomó entre sus brazos y me abrazó tan fuerte como se puede abrazar a un niño.

Me encontré dentro del coche cuya puerta fue cerrada. Por la ventanilla, vi a Nishio-san, todavía arrodillada, posar su frente sobre la calzada. Permaneció en aquella posición mientras se mantuvo en nuestro campo de visión. Luego, ya no hubo Nishio-san.

Así concluyó la historia de mi divinidad.

En el aeropuerto, era tanto el sufrimiento por haber perdido a mi madre japonesa que apenas noté el momento en el que el suelo natal escupió nuestro avión hacia el cielo.

El perdigón de saliva aérea atravesó el mar de Japón, Corea del Sur, el mar Amarillo, y aterrizó en el extranjero: China. Debo señalar que, en adelante, todo país que no fuera el del Sol Naciente fue calificado así por mí.

Eso no impide que la China popular de 1972 pusiera de su parte: era el extranjero.

Extranjero era aquel universo de terror y suspicacia permanentes. Aunque no tuve que padecer ninguna de las atrocidades que el pueblo chino hubo de soportar mientras duró el final de la Revolución Cultural, aunque mi tierna edad me aislara de la náusea constante que experimentaron mis padres, viví sin embargo en Pekín como en el ojo del huracán.

En primer lugar, por una razón de orden personal: aquel país no sólo cometía el error de no ser Japón, sino que llegaba al extremo de ser todo lo opuesto a Japón. Abandonaba una montaña verdosa y me encontraba con un desierto, el de Gobi, que era el clima de Pekín.

Mi tierra era la del agua, aquella China era pura sequía. Aquí el aire era tan árido que resultaba doloroso respirarlo. Mi exilio de la humedad se tradujo inmediatamente en el descubrimiento del asma, que nunca había padecido anteriormente y que se convertiría en fiel compañera de toda una vida. Vivir en el extranjero era una enfermedad respiratoria.

Mi tierra era la de la naturaleza, las flores y los árboles, mi Japón era un montañoso jardín. Pekín era lo que la ciudad ha inventado de más feo, lo más parecido a un campo de concentración en materia de hormigón.

Mi tierra estaba habitada por pájaros y monos, por peces y ardillas, cada uno libre en la fluidez de su propio espacio. En Pekín sólo había animales prisioneros: asnos arrastrando pesadas cargas, caballos fuertemente enganchados a enormes carretas, cerdos que leían su inminente muerte en los ojos de una población hambrienta a la que no teníamos derecho a dirigir la palabra.

Mi tierra era la de Nishio-san, mi madre nipona, que era todo ternura, brazos cariñosos, besos, que hablaba el japonés de las mujeres y de los niños, el cual es la dulzura hecha palabra. En Pekín, la camarada Trê, que tenía como única consigna la de tirarme del pelo por la mañana, hablaba el idioma de la época de la Banda de los Cuatro, una especie de antimandarín, que era al chino lo que el alemán de Hitler al de Goethe: una inmunda perversión de consonantes que sonaban como bofetadas en la cara.

Nada más lejos de mi intención que la absurda idea de incluir ajustados análisis políticos en el juicio de una niña de cinco años. El horror de aquel régimen no lo comprendería hasta mucho más tarde, leyendo a Simon Leys y haciendo lo que en aquella época estaba prohibido: hablar con chinos. Entre 1972 y 1975, dirigir la palabra a un hombre de la calle equivalía a mandarlo a la cárcel.

Pero, por más que no entendiera, vivía aquella China como un prolongado apocalipsis, con toda la abyección y la alegría contenidas en dicha palabra. La experiencia apocalíptica es lo contrario del aburrimiento. Quien ve cómo el mundo se derrumba se desespera y al mismo tiempo se divierte: es tanto un espectáculo como una abominación permanente, es tanto un juego tonificante como un naufragio, sobre todo cuando tienes entre cinco y ocho años.

Dijera lo que dijese la propaganda, Pekín tenía hambre. Menos, sin embargo, que el campo de los alrededores, donde la hambruna pura y dura hacía estragos. Pero, de todos modos, la vida en la capital consistía esencialmente en buscar alimentos.

En Japón reinaba la abundancia y la variedad. El señor Tchang, el cocinero chino, se las veía y se las deseaba para traer del mercado de Pekín la eterna col y la eterna grasa de cerdo. Era un artista: cada día, la col o la grasa de cerdo se preparaba de un modo distinto. La Revolución Cultural no había conseguido matar del todo el genio, entre otros culinario, del pueblo.

A veces, el señor Tchang obraba milagros. Si encontraba azúcar, lo cocía e hilaba espléndidas esculturas de caramelo, cestos, cintas crujientes que activaban mi entusiasmo.

Me acuerdo de un día que trajo fresas. Las fresas eran un placer que ya había experimentado en Japón y que, en adelante, experimentaría todavía muchas veces. No obstante, debo ceñirme a la verdad al hacer la siguiente revelación: las fresas de Pekín son las mejores del universo. La fresa es delicada por excelencia; la fresa pequinesa es lo sublime dentro de la delicadeza.

Fue en China donde descubrí un hambre hasta entonces desconocida: el hambre de los demás. Y, concretamente, el hambre de otros niños. En Japón, no había tenido tiempo para tener hambre de seres humanos: Nishio-san me alimentaba en abundancia con tanta cantidad de amor de calidad, que nunca se me habría pasado por la cabeza reclamar más. Y los niños del *yôchien* me resultaban indiferentes.

En Pekín, echaba de menos a Nishio-san. ¿Acaso fue eso lo que despertó mi apetito? Quizá. Afortunadamente, mi madre, mi padre y mi hermana no eran parcos a la hora de manifestar su afecto. Pero no podía sustituir la adoración, el culto que me profesaba la dama de Kobe.

Me lancé a la conquista del amor. Para lograrlo, la primera condición consistía en enamorarse: me ocurrió sin tardar y, evidentemente, fue un desastre que incrementó mi hambre. Aquél sólo sería el primero de una larga serie de sabotajes amorosos. Que tuviera lugar en aquella China devastada no es irrelevante. En un país próspero y sosegado, quizá no habría sufrido una auténtica insurrección de los colmillos. Es en las películas de guerra donde se asiste a los más hermosos besos del cine.

Pekín también me proporcionó una información interesante: mi padre era un hombre extraño.

Cuando estábamos juntos, no se privaba de expresar, sobre el régimen chino de la época, todo el mal que merecía. En efecto, en materia de perversidad, la Banda de los Cuatro era un auténtico prodigio. La señora Mao y los suyos son lo más fuerte jamás inventado en materia de infamia indefendible. En el panteón de la carroña, gozan de una eternidad que nadie les discute.

Que mi padre fuera instado a frecuentar e incluso negociar con ese gobierno era una fatalidad de su trabajo de diplomático. Y, de entrada, me parecía admirable que fuera capaz de llevar a cabo una tarca tan ingrata, cuya necesidad resultaba fácilmente comprensible.

Nunca he visto a mi padre dejar de tener hambre, salvo cuando regresaba de los banquetes chinos con los oficiales del régimen. Volvía atiborrado en todos los sentidos del término, exclamando por turnos: «¡No quiero oír hablar nunca más de comida!» y «¡No quiero oír hablar nunca más de la Banda de los Cuatro!». Cualquiera hubiera dicho que formaba parte de la política de dicha banda emborrachar a sus interlocutores con tanto alcohol como comida, como en esos festines primitivos en los que la sobrealimentación de la tribu rival alcanza la categoría de estrategia militar.

Sin embargo, a veces ocurría que mi padre regresaba de una de esas cenas sin náuseas: era cuando había tenido ocasión de hablar con Zhou Enlai. Éste le inspiraba una enorme admiración. Que fuera el primer ministro de un gobierno deletéreo no parecía ser un problema. Y, para mí, aquello resultaba difícil de comprender. Eras bueno o malo. No podías ser las dos cosas a la vez.

Zhou Enlai sí lo era. Los datos hablan por sí solos: no era posible ser primer ministro de la China popular entre 1949 y 1976 sin lo que algunos llamarían cierta capacidad para la traición. Pero también podía considerarse una habilidad: la gran virtud de la flexibilidad. Participaba en el peor de los gobiernos y al mismo tiempo moderaba la locura que probablemente habría resultado todavía más nociva.

Si existe un personaje de la Historia que haya obrado más allá del bien y del mal, ése es él. Incluso sus más virulentos detractores reconocían la dimensión y el impacto de su inteligencia.

El entusiasmo de mi padre por Zhou Enlai me hacía reflexionar. Más allá de un juicio político que me superaba, experimentaba perplejidad al descubrir que el responsable de mis días era incomprensible y que hacía bien en serlo.

No sólo se cuestionaba la personalidad paterna. China me proporcionó la ocasión de reencontrar todas las complejidades. En Japón, creía que la humanidad se componía de nipones, de belgas, accesoriamente de americanos apenas entrevistos. En Pekín, me di cuenta de que había que añadir a la lista no sólo a los chinos sino también a los franceses, los italianos, los alemanes, los cameruneses, los peruanos y otras nacionalidades todavía más sorprendentes.

El descubrimiento de la existencia de los franceses me divirtió. Así pues, existía sobre este planeta un pueblo que hablaba casi la misma lengua que nosotros y que había acaparado su denominación. Su país se llamaba Francia, estaba lejos de aquí y dominaba la escuela.

Porque se acabaron las guarderías japonesas. Mi primer ingreso serio en una escuela se produjo en la

Pequeña Escuela Francesa de Pekín. Los maestros eran franceses y poco cualificados.

Mi primer maestro era un patán que me pegaba patadas en el culo cuando le pedía permiso para ir al servicio. Ya no me atrevía a interrumpir la clase para pedirle permiso, por miedo a aquel castigo público.

Un día que ya no podía aguantar más, decidí hacer pipí en clase. Como el maestro estaba hablando, procedí sin abandonar mi silla. Aquello empezaba perfectamente y yo ya calculaba el éxito de la operación secreta cuando el exceso de líquido desbordó la silla y se deslizó por el suelo con el murmullo de una serpiente de agua. Aquel murmullo atrajo la atención de un chivato que exclamó:

—¡Oiga, señor, se está meando en clase!

Mortificante humillación: el pie del maestro me lanzó fuera de clase entre la carcajada general.

También sirvió para descubrir la complejidad nacional: conocí a belgas que no hablaban francés. Decididamente, el mundo era de lo más curioso. Y había un sinfín de lenguas. No iba a ser fácil orientarse en este planeta.

Si la Biblia fue el gran libro de mis años nipones, el atlas constituyó la principal lectura de mis años pequineses. Me sentía hambrienta de país. La claridad de los mapas me deslumbraba.

A partir de las seis de la mañana, se me podía sorprender tumbada sobre Euroasia, siguiendo las fronteras con el dedo, acariciando el archipiélago japonés con nostalgia. La geografía me sumergía en la poesía pura: no conocía nada más hermoso que aquel despliegue de espacios.

Ningún estado se me resistía. Una noche, mientras atravesaba un cóctel a cuatro patas para ir a robar champán, mi padre me cogió en brazos y me presentó al embajador de Bangladesh.

—Ah, Pakistán oriental —comenté con flema.

Tenía seis años y la pasión de las nacionalidades. Que todas estuvieran encerradas en el gueto de San

Li Tun permitía examinarlas. El único país que ocultaba su identidad era China.

La palabra «atlas» me gustaba con desmesura. Si un día tenía un hijo, le llamaría así. En el diccionario, había visto que alguien ya se había llamado así.

El diccionario era el atlas de las palabras. Definía su extensión, sus jurisdicciones, sus límites. Algunos de aquellos imperios eran de una desorientadora singularidad: estaban acimut, berilo, odalisca, los polvos de la madre Celestina.

Si buscabas detenidamente entre sus páginas, también descubrías el mal del que sufrías. El mío se llamaba añoranza de Japón, que es la auténtica definición de la palabra «nostalgia».

Toda nostalgia es nipona. No hay nada más japonés que languidecer sobre el propio pasado y sobre su anticuada majestad y vivir la fluidez del tiempo como una trágica y grandiosa derrota. Un senegalés que echa de menos el Senegal de antaño es un nipón que no sabe que lo es. Una chiquilla belga llorando a causa del recuerdo del país del Sol Naciente merece la nacionalidad japonesa por partida doble.

—¿Cuándo volveremos a casa? —le preguntaba a menudo a mi padre, entendiendo por casa Shukugawa.

—Jamás.

El diccionario me confirmaba que aquella respuesta era terrible.

Jamás era el país en el que vivía. Era un país sin retorno. No me gustaba. Japón era mi país, el que yo había elegido, pero él no me había elegido a mí. Jamás me había designado: era súbdito del estado de jamás.

Los habitantes de jamás no tienen esperanza. El idioma que hablan es la nostalgia. Su moneda es el tiempo que transcurre: son incapaces de ahorrar y su vida se dilapida hacia un abismo llamado muerte y que es la capital de su país.

Los jamasianos son grandes constructores de amores, de amistades, de escritura y otros desgarradores edificios que contienen su propia ruina, pero son incapaces de construir una casa, una mirada, ni siquiera algo que se parezca a un hogar estable y habitable. Sin embargo, nada les parece tan digno de codicia como un montón de piedras convertidas en su domicilio. Una fatalidad les oculta esa tierra prometida desde el preciso instante en el que creen tener la llave.

Los jamasianos no creen que la existencia sea un proceso de crecimiento, una acumulación de belleza, de sabiduría, de riqueza y de experiencia; desde el momento de nacer, saben que la vida es disminución, pérdida, desposesión, desmembramiento. Se les otorga un trono con el único objetivo de perderlo. Desde los tres años, los jamasianos saben lo que la gente de los otros países apenas saben a los sesenta y tres años.

De todo eso no habría que deducir que los habitantes de jamás son tristes. Al contrario: no existe un pueblo más alegre. Las más minúsculas migajas de gracia sumergen a los jamasianos en un estado de embriaguez. Su propensión a reír, a disfrutar, a gozar y a maravillarse no tiene parangón en este planeta. La muerte les acecha con tanta fuerza que tienen por la vida un delirante apetito.

Su himno nacional es una marcha fúnebre, su marcha fúnebre es un himno a la alegría: es una rapsodia tan frenética que la simple lectura de la partitura hace estremecer. Y, sin embargo, los jamasianos tocan todas sus notas.

El símbolo que adorna su blasón es el beleño.

En Pekín, la búsqueda de golosinas planteaba dificultades distintas a las de Japón. Tenías que coger tu bicicleta, demostrarle a los soldados que a la edad de seis años no representabas un peligro capital para la población china y pisar el acelerador a fondo hasta el mercado para comprar los excelentes bombones y caramelos caducos. ¿Pero cómo proceder cuando el escuálido dinero de bolsillo se había agotado?

Entonces era necesario desvalijar los garajes del gueto. Era allí donde los adultos de la comunidad extranjera escondían las provisiones. Aquellas cuevas de Alí Babá estaban cerradas con candado y nada resulta más fácil de limar que una cadena de calidad comunista.

No era racista y robaba en todos los garajes, incluso en el de mis padres, que no era de los peores.

Un día, descubrí una golosina belga que no conocía: los *spéculoos*.

Probé uno de inmediato. Rugí: aquella forma de crujir, aquellas especias, era para gritar de placer, un acontecimiento demasiado importante para celebrarlo en un garaje. ¿Cuál era el mejor lugar para celebrarlo? Yo lo sabía.

Corrí hasta nuestro inmueble, subí los cuatro pisos a toda velocidad y aceleré hasta el cuarto de baño cerrando la puerta tras de mí. Me instalé ante el espejo gigante, saqué el botín de debajo de mi jersey y comencé a comer observando mi imagen reflejada en el espejo –quería verme en estado de placer. Lo que expresaba mi rostro era el sabor del *spéculoos*.

Aquello era un espectáculo. Con sólo mirarme podía detallar los sabores: dulce, por supuesto, si no no habría parecido tan feliz; aquel azúcar debía de ser semirrefinado, a juzgar por la emoción de los hoyuelos. Mucha canela, parecía decir la nariz fruncida de satisfacción. Los ojos brillantes anunciaban el color de otras especias, tan desconocidas como estupendas. En cuanto a la presencia de miel, ¿cómo dudar de ella viendo mis labios que le hacían carantoñas al éxtasis?

Para estar más cómoda, me senté sobre el borde del lavabo y seguí atiborrándome de *spéculoos* mientras me devoraba con la mirada. La visión de mi voluptuosidad acrecentaba mi voluptuosidad.

Sin saberlo, estaba actuando como esas personas que iban a los prostíbulos de Singapur, cuyo techo estaba totalmente cubierto de espejos con el fin de que se vieran haciendo el amor, excitados por el espectáculo de sus propios retozos.

Mi madre entró en el cuarto de baño y me pilló con las manos en la masa. Estaba tan absorta en mi propia contemplación que no la vi y proseguí con mi ejercicio de doble devoración.

Su primera reacción fue de furor: «¡Roba! ¡Y además roba golosinas! ¡Y su primera elección nuestro único paquete de *spéculoos,* un auténtico tesoro, seguro que no encontraremos más en todo Pekín!»

Luego dio paso a la perplejidad: «¿Por qué no me ve? ¿Por qué se está mirando comer?»

Finalmente, comprendió y sonrió: «¡Siente placer y quiere verlo!»

Entonces demostró que era una madre excelente: salió de puntillas y cerró la puerta. Me dejó a solas con mi deleite. No me habría dado cuenta de su intrusión si no hubiera oído cómo se lo contaba a una amiga.

Durante unos días alojamos en nuestro miserable apartamento a un señor que no sonreía demasiado. Llevaba barba, lo cual yo consideraba un atributo de mucha edad: en realidad, tenía la edad de mi padre, que se refería a él con la más alta de las admiraciones. Se trataba de Simon Leys. Papá se ocupaba de sus problemas de visado.

Si hubiera sabido hasta qué punto, quince años más tarde, su obra iba a ser importante para mí, lo habría mirado con otros ojos. Pero aquella breve relación me dio la oportunidad de descubrir, a través del afecto que mis padres le profesaban, la siguiente y capital información: un individuo que escribe hermosos e impactantes libros es venerable entre nosotros.

Mi interés por la lectura se acrecentó con ello. Así pues, no había que leer únicamente *Tintín*, la Biblia, el atlas y el diccionario, también había que leer esos espejos de placer y dolor llamados novelas.

Pedí novelas. Me señalaron con el dedo las novelas para niños. En la vieja biblioteca de mis padres podías encontrar a Jules Verne, la condesa de Ségur, Hector Malot, Frances Burnett. Me lo tomé con calma. Todavía existían actividades más serias: la guerra de San Li Tun, el espionaje en bicicleta, el robo con fractura, hacer pipí de pie y haciendo puntería.

Sin embargo, sentí que aquélla era una buena fuente de estupefacción: los niños abandonados que se morían de hambre y de frío, las malvadas niñas despreciativas, las carreras y persecuciones alrededor del mundo y las decadencias sociales eran golosinas para el espíritu. Todavía no las necesitaba, pero adivinaba que ya llegaría su momento.

Prefería los cuentos, de los que tenía hambre y sed. En Japón, eran los que me contaba Nishio-san *(Yamamba la bruja de la montaña, Momotaro el niño de los melocotones, La Grulla Blanca, La gratitud del zorro)* o mi madre *(Blancanieves, La Cenicienta, Barbazul, Piel de asno,* etc.). En China, fueron los cuentos de *Las mil y una noches,* que leí en su traducción del siglo XVIII y a los que debo las más violentas emociones literarias de mis seis años.

Lo que más me gustaba de aquellas historias de sultanes, de *calenders,* de visires y de marinos, era la evocación de las princesas. De repente aparecía una de una arrebatadora belleza, y el relato no omitía ningún detalle de sus encantos, y apenas habías recuperado el aliento cuando ya aparecía otra; ésta, precisaba el texto, era infinitamente más hermosa que la anterior, con pruebas descriptivas que así lo certificaban. Resultaba difícil creer que existiera una criatura superior a la ya citada cuando aparecía una tercera, cuyo esplendor enviaba el de la segunda a los vestuarios, hasta tal punto era superior. Y ya podía adivinarse que a esa tercera maravilla le quedaba poco esplendor que disfrutar ante la epifanía de la cuarta, que la eclipsaría, lo que no tardaba en ocurrir. Y así sucesivamente.

Semejante subasta de belleza superaba mi imaginación. Era un puro deleite.

A los siete años, tuve la clarísima sensación de haberlo vivido todo.

Con la intención de estar segura de no haber olvidado nada de mi recorrido humano, recapitulé: había conocido la divinidad y su absoluta satisfacción, había conocido el nacimiento, la cólera, la incomprensión, el placer, el lenguaje, los accidentes, las flores, los demás, los peces, la lluvia, el suicidio, la salvación, la escuela, la degradación, el desgarramiento, el exilio, el desierto, la enfermedad, el crecimiento y el sentimiento de pérdida al que iba unido, la guerra, la embriaguez de tener un enemigo, el alcohol –*last but not least*–, había conocido el amor, esa flecha tan bien lanzada en el vacío.

Aparte de la muerte, que me había rozado varias veces y que volvería a poner el contador a cero, ¿qué más me quedaba por descubrir?

Mi madre me habló de una dama que había fallecido tras ingerir una seta venenosa. Pregunté qué edad tenía. «Cuarenta y nueve años», respondió ella. Siete veces mi edad: ¿qué clase de broma era ésa? ¿Cuál era el problema de morir después de una vida de una longevidad tan descabellada?

Sentí vértigo ante la idea de que la providencial seta quizá se cruzaría en mi camino a una edad tan lejana: ¿acaso era necesario padecer siete veces mi vida antes de llegar al término?

Me tranquilicé: fijé mi defunción a los doce años. Un profundo alivio se amparó de mí. Doce años, era una edad ideal para morir. Había que marcharse antes de que comenzara el proceso de decrepitud.

Dicho esto, me quedaban cinco años por delante. ¿Me aburriría?

Recordé que a los tres años, justo antes de mi intento de suicidio, había experimentado esa repulsiva convicción de haberlo vivido todo. No obstante, si bien es cierto que en aquel pretérito momento no me quedaba nada por aprender respecto a la suprema desilusión de la ausencia de eternidad, no por ello había dejado de descubrir, desde entonces, aventuras que merecían la pena. Por ejemplo, me habría perdido la guerra, cuyo placer no tenía parangón.

Así pues, no había que excluir que todavía pudiera conocer aquello que aún no había experimentado.

Ese pensamiento era a la vez agradable y frustrante. La curiosidad me carcomía: ¿cuáles serían esas cosas que mi espíritu no conseguía aprehender?

A base de reflexionar, se me ocurrió una posibilidad que me había pasado por alto: había conocido el amor, pero no había conocido la felicidad amorosa. De repente me pareció inconcebible morir sin haber vivido una embriaguez tan inimaginable.

En la primavera de 1975, nos enteramos de que, durante el verano, abandonaríamos Pekín para irnos a Nueva York. Aquella noticia me sorprendió: ¿acaso era posible vivir en un lugar distinto al Lejano Oriente?

Mi padre se sintió contrariado. Esperaba que el ministerio belga lo destinara a Malasia. América no le tentaba. Pero se sentía aliviado por el hecho de marcharse de aquella China. Todos nos sentíamos igual.

Para él, abandonar Pekín significaba abandonar el infierno del maoísmo, la repugnancia de entrever crímenes sin nombre.

Para mí, significaba escapar de la escuela que había asistido a mi humillación amorosa, y suponía abandonar a Trê, que me tiraba del pelo cada mañana. Lo único triste sería decirle adiós a Tchang, el cocinero mágico.

Lo que China tenía de realmente chino nos encantaba. Por desgracia, esa China encogía como piel de zapa. La Revolución Cultural la había sustituido por un gigantesco penal.

Además, la guerra me había enseñado que uno debe elegir su bando. Entre China y Japón, no tenía ni una sombra de duda. Es cierto que, más allá de toda política, ambos países eran dos polos enemigos: adorar a uno implicaba, salvo que uno fuera el último de los cobardes, tener reticencias respecto al otro. Yo veneraba el Imperio del Sol Naciente, su sobriedad, su sentido de la sombra, su dulzura, su educación. La luz cegadora del imperio del Medio, la omnipresencia del rojo, su llamativo sentido de los fastos, su dureza, su sequedad –aunque el esplendor de aquella realidad no se me escapara, sí me exilaba desde el principio.

También experimentaba esa dualidad en su nivel más simple: entre el país de Nishio-san y el país de Trê, mi elección estaba hecha. Uno de esos dos países era el mío de un modo demasiado violento para que el otro me aceptara.

Así pues, para mi octavo cumpleaños, recibí el más fantástico de los regalos: Nueva York.

El complot había sido organizado con el fin de traumatizarnos hasta la crisis cardíaca. Salíamos de pasar tres años bajo vigilancia en el gueto de San Li Tun, rodeados de soldados chinos que no nos dejaban ni a sol ni a sombra. Habíamos temblado durante tres años ante la idea del mal que el menor de nuestros actos o de nuestras opiniones podría haber infligido a un pueblo ya mártir de por sí.

Luego habíamos metido nuestras pertenencias en cajas y habíamos ido al aeropuerto de Pekín con cinco billetes para Kennedy Airport. El avión había sobrevolado el desierto de Gobi, la isla de Sajalín, Kamtchatka, el estrecho de Bering. Había aterrizado una primera vez en Anchorage, Alaska, para una escala de varias horas. Por mi ventanilla, veía un mundo helado de lo más curioso.

Luego, el avión había vuelto a despegar y me había quedado dormida. Mi hermana me había despertado diciéndome las siguientes e increíbles palabras:

—Levanta, estamos en Nueva York.

Había motivos para levantarse: la ciudad entera lo estaba. Todo se erguía, todo intentaba tocar el cielo. Nunca había visto un universo tan erguido. De entrada, Nueva York me proporcionó una costumbre que nunca perdí: andar con la nariz levantada.

No daba crédito. Nada en el mundo podía estar tan lejos del Pekín de 1975. Habíamos abandonado un planeta por otro que probablemente no estaba en el mismo sistema solar.

En el taxi amarillo, cuando divisé el *skyline*, me puse a gritar. Aquel grito duró tres años.

Es cierto que habría mucho que decir sobre los Estados Unidos de Gerald Ford y sobre Nueva York en particular, sobre las monstruosas desigualdades que la ciudad presentaba y la espantosa criminalidad que tanta injusticia arrastraba. No se trata de negarlo.

Si estas páginas apenas se refieren a eso, es por un deseo de autenticidad hacia el delirio de una niña de ocho años. Ni siquiera pretendo haber vivido en Nueva York: durante tres años fui una niña que vivía Nueva York como una locura.

De entrada, acepto todas las derogaciones: no era lúcida, mis padres eran en aquella época unos privilegiados, etc. Una vez tomadas estas precauciones, puedo afirmarlo: en Nueva York tener ocho años, nueve años, diez años –¡qué gozada!, ¡qué gozada!, ¡qué gozada!

El taxi amarillo se detuvo ante un edificio de cuarenta pisos. Tenía innumerables ascensores que subían tan deprisa que ni siquiera daba tiempo a que se te destaparan los oídos: ya estabas en el piso dieciséis, el nuestro.

Una felicidad tan estruendosa nunca viene sola. Al descubrir el inmenso y confortable apartamento con vistas al Museo Guggenheim, me fijé en algo mucho más grave: la joven *au pair* que nos estaba esperando.

Inge también acababa de desembarcar en Nueva York. Llegaba procedente de la Bélgica germanófona. Tenía diecinueve años, pero era de una belleza tan perfecta que aparentaba diez años más. Parecía Greta Garbo.

Nueva York e Inge: la vida iba a ser algo grandioso.

Dos escandalosas satisfacciones tienden a arrastrar una tercera: mi hermano fue enviado a Bélgica con el fin de proseguir sus estudios en un internado jesuita. De este modo, André, de doce años, mi enemigo público número uno, aquel cuyo Grial era hacerme rabiar, aquel que nunca perdía la ocasión de burlarse de mí en público, el mayor de los hermanos mayores posibles, no sólo sería enviado a galeras, lo cual me encantaba, sino que iba a desaparecer de mi presencia, a largarse de mi paisaje, dejarme finalmente a solas con mi divina hermana.

Juliette y yo le miramos subir al coche con nuestros padres, que lo llevaban al aeropuerto.

–Te das cuenta –dijo ella–. Al pobre se lo llevan a una cárcel belga mientras que nosotras vamos a vivir en Nueva York.

–La justicia existe –rechiné.

Juliette, de diez años y medio, era mi sueño. Cuando le preguntaba qué deseaba ser de mayor, respondía: «Hada.» En realidad, era un hada para toda la eternidad, como lo demostraba su hermoso rostro permanentemente en las nubes. Su mayor ambición era llegar a tener el pelo más largo del mundo. ¿Cómo no amar locamente a un ser animado con tan nobles propósitos?

Evalué mi situación: a mi alrededor, estaría en adelante mi madre, de la que nunca elogiaré lo suficiente su belleza solar, estaría mi encantadora hermana, elfa entre las elfas —y estaría Inge, la sublime desconocida.

Estaría mi padre, mi hincha de siempre, y ya no estaría mi hermano mayor.

Cuando la existencia se presenta tan desmesuradamente exultante, esto se llama Nueva York.

Nueva York, ciudad poblada por ascensores supersónicos que nunca me cansaba de probar, ciudad de borrascas tan fuertes que me convertía en una cometa entre los peinados de los rascacielos, ciudad de los excesos de uno mismo, de la búsqueda desmesurada de los propios excesos, de las profusiones interiores, ciudad que desplaza el corazón del pecho a la sien sobre la cual apuntaba permanentemente el revólver del placer: «Exulta o muérete.»

Yo exultaba. Durante tres años, en cada segundo, mi pulso siguió el ritmo delirante de las calles de Nueva York, por las que caminan hordas de gente que parecen ir decididamente hacia ninguna parte. Yo les acompañaba, intrépida y trepidante.

Había que subir hasta la cima de cada edificio un poco elevado: destello de las torres gemelas, el Empire State Building, y esa joya absoluta que es el Chrysler Building. Había inmuebles en forma de falda que le daban a esa ciudad unos andares enloquecedores.

Desde allá arriba, la vista era para gritar. Desde abajo, el vértigo era todavía mayor.

Inge medía un metro ochenta. Era una mujer rascacielos. Yo caminaba por Nueva York cogida de su mano. Desembarcaba de su pueblo belga y no podía digerir todo lo que veía. Los neoyorquinos, pese a estar acostumbrados al esplendor, se daban la vuelta al paso de aquella belleza, y yo me daba la vuelta sacándoles la lengua: «¡La mano que coge es la mía, no la vuestra!»

—Esta ciudad es para mí —decía Inge, con la nariz hacia arriba.

Tenía razón: suya era la ciudad gigante. Los lugares de nacimiento son absurdos: no podía haber nacido en un pueblucho de los cantones del Este, ella que tenía la altura y la elegancia del Chrysler Building.

Un día, mientras paseábamos por Madison Avenue, un tipo se acercó corriendo a Inge y le entregó su tarjeta: reclutaba para una agencia de modelos y le proponía una sesión de fotos.

—No me desnudo —respondió la fiera.

—Si tiene miedo, tráigase a la niña —dijo él.

Aquel argumento inspiró confianza a la joven. Dos días más tarde, la acompañé a un estudio en el que la peinaron, maquillaron y acribillaron con una cámara. Le enseñaron a desfilar como las modelos.

Yo la contemplaba con admiración. Me felicitaron por portarme tan bien, nunca habían visto a un niño tan discreto. Y con razón: asistía al espectáculo, subyugada por el prestigio de la belleza.

Mis padres perdieron la razón. Tras tres años de encarcelamiento maoísta, las exuberancias capitalistas les afectaron peligrosamente. La fiebre que se apoderó de ellos no les abandonó ni un instante.

–Hay que salir cada noche –dijo mi padre.

Hubo que verlo todo, escucharlo todo, probarlo todo, beberlo todo, comerlo todo. Juliette y yo siempre formábamos parte de la expedición. Después de los conciertos o de los musicales, nos reuníamos en el restaurante, sentados ante unos bistecs más grandes que nosotras, y en el cabaret, escuchando cantantes y bebiendo bourbon. Nuestros padres consideraron que había que vestirnos para semejantes circunstancias y nos compraron pieles sintéticas.

Juliette y yo no dábamos crédito a tanto fasto. Nos emborrachábamos envolviéndonos en las estolas, morreábamos el cristal que nos separaba de los arenques vivos.

Una noche, el espectáculo fue un ballet: descubrí que el cuerpo podía servir para volar. Mi hermana y yo, a una sola voz, decretamos nuestra vocación de estrellas: nos matricularon en una famosa escuela de baile.

Ya de madrugada, un taxi amarillo devolvía al redil a cuatro belgas ebrios que miraban el cielo.

—Esto es vida —decía mi madre.

Inge se negaba a acompañarnos. «Sólo me gusta el cine y estoy a régimen», decía. Tenía su vida nocturna y en su habitación un póster de Robert Redford que miraba con expresión lánguida.

—¿Qué tiene él que no tenga yo? —le pregunté, con las manos en las caderas.

Sonrió y me dio un beso. Me quería mucho.

Aquél fue mi primer comienzo de curso serio. El Liceo Francés de Nueva York no era lo mismo que la Pequeña Escuela Francesa de Pekín. Era un establecimiento esnob, reaccionario, displicente. Altivos profesores nos explicaban que debíamos comportarnos como una élite.

Semejantes sandeces me dejaban indiferente. La clase rebosaba de niños a los que miraba con curiosidad. Había una mayoría de franceses pero también americanos, ya que, para los neoyorquinos, matricular a su progenitura en el Liceo Francés era el colmo de la sofisticación.

No había belgas. He observado este mismo fenómeno en el mundo entero: siempre era la única belga de la clase, lo que me valió ser el blanco de torrentes de burlas de las que yo misma era la primera en reírme.

En aquel tiempo mi cerebro funcionaba demasiado bien. Era tan consciente de mi exactitud, que me bastaba menos de un segundo para multiplicar números irracionales, cuyos decimales contaba con aburrimiento. La gramática me salía por los poros, la ignorancia para mí era como hablar en chino, el atlas era mi carnet de identidad, las lenguas me habían elegido como torre de Babel.

Hubiera resultado odiosa si al mismo tiempo no me hubiera importado un bledo.

Los profesores se extasiaban y me preguntaban:

—¿Seguro que es usted belga?

Se lo garantizaba. Sí, mi madre también era belga. Sí, mis antepasados también lo eran.

Perplejidad de los profesores franceses.

Los niños me observaban con suspicacia, con cara de decir: «Aquí hay gato encerrado.»

Las niñas me echaban miradas cariñosas. El monstruoso elitismo del Liceo influía sobre ellas y me declaraban sin tapujos: «Eres la mejor. ¿Quieres ser mi amiga?» Era para desanimarse. Semejantes modales hubieran resultado inconcebibles en Pekín, donde los únicos méritos estaban relacionados con la guerra. Pero no podía negarme: los corazones de las niñas no se rechazan.

A veces, una súbdita de Costa de Marfil, un yugoslavo o un yemenita pasaban por allí. Me impresionaban esas nacionalidades tan accidentales como la mía. A los americanos y a los franceses siempre les parecía increíble que uno no fuera americano o francés.

Llegada dos semanas después del comienzo de curso, una pequeña francesa me quiso mucho. Se llamaba Marie.

Un día, en un arrebato de pasión, le confié la terrible verdad:

–¿Sabes? Soy belga.

Marie me dio entonces una hermosa prueba de amor; con una voz contenida, declaró:

–No se lo contaré a nadie.

Lo esencial no era ir al Liceo sino a la escuela de ballet, que frecuentaba asiduamente.

Allí, por lo menos, las cosas eran difíciles. Tenías que enseñarle a tu cuerpo a convertirse en un arco que podías tender hasta romperlo: sólo te darían las flechas cuando lo merecieras.

La primera etapa era el *grand écart*. La profesora americana, una vieja y esquelética bailarina que fumaba como un carretero, se desesperaba con aquellas que todavía no conseguían hacerlo:

—A los ocho años, no conseguir el *grand écart* no tiene excusa. A vuestra edad, las articulaciones son de chicle.

Así pues, me apresuré a desencajar mi chicle interior para obtener el esperado *écart*. Forzando un poco la naturaleza, lo conseguí sin demasiado esfuerzo. Extrañeza al ver mis propias piernas abiertas como un compás a mi alrededor.

En la escuela de ballet, todas las alumnas eran americanas. Por más que las frecuenté durante años, nunca hice amigas. El ambiente de la danza me pareció terriblemente individualista: el triunfo del cada uno a lo suyo. Cuando una de las pequeñas se quedaba clavada en un salto y se lesionaba, las otras sonreían: una competidora menos. Aquellas chiquillas hablaban poco entre ellas y, cuando lo hacían, sólo trataban de una cuestión: las pruebas de selección para *Nutcracker*.

Cada año, por Navidad, niños de alrededor de diez años representaban el ballet *Cascanueces* en la más amplia sala neoyorquina. En una ciudad en la que la danza tenía tanta importancia como en Moscú, era todo un acontecimiento.

Los seleccionadores visitaban las escuelas en busca de los mejores elementos. La profesora elegía a sus mejores alumnas y anunciaba a las demás que no se hicieran ilusiones. Muy ágil pero torpe y mal hecha, yo formaba parte de la segunda categoría.

La embriaguez llegaba después de la clase de ballet. Regresaba a casa y corría hasta el piso cuarenta de nuestro edificio, ocupado por una piscina con techo de cristal. Nadaba mirando el sol poniéndose sobre las cimas de las más hermosas torres góticas. Los colores de los cielos neoyorquinos eran inverosímiles. Había demasiado esplendor que digerir: sin embargo, mis ojos conseguían devorarlo todo.

De regreso a casa, recibía como consigna vestirme de punta en blanco. Despachaba mis deberes en ocho segundos, y me reunía en el salón con mi padre, que me servía un whisky para brindar con él.

Me contaba que no le gustaba su trabajo:

—La ONU no es para mí. Hablar, siempre hablar. Yo soy un hombre de acción.

Yo asentía con la cabeza, comprensiva.

—¿Y a ti, qué tal te ha ido el día?

—Como siempre.

—¿Primera en el Liceo y del montón en ballet?

—Sí. Pero seré bailarina.

—Por supuesto.

No lo creía en absoluto. Le oía contar a sus amigos que yo sería diplomática. «Se parece a mí.»

Luego, nos íbamos a Broadway a celebrar la noche. Me encantaba salir. Sólo fui juerguista a esa edad.

El éxito obtenido con las niñas del Liceo me animaba a intentar una conquista más difícil: Inge.

Le escribía poemas de amor, llamaba a su puerta y se los ofrecía. Ella los leía sin demora, fumando un cigarrillo, tumbada sobre su cama. Me acostaba a su lado y miraba cómo el humo ascendía: eran mis versos que se consumían.

—Es bonito —decía.

—¿Así que me quieres?

—Claro que te quiero.

—Abrázame.

Me abrazaba y me hacía cosquillas en el vientre. Yo gritaba de risa.

Luego, retomaba su aire melancólico y fumaba, con los ojos fijos en el techo.

Yo sabía por qué estaba triste.

—¿Él sigue sin hablarte?

–Sí.

«Él» era un señor del que estaba enamorada.

Uno de los placeres de la vida consistía en acompañar a Inge a la *laundry*, el cuarto de las lavadoras, situado en el sótano del edificio. Miraba cómo la ropa daba vueltas dentro del tambor y, durante estos momentos, Inge observaba al desconocido que fumaba esperando su ropa.

Tenía que ser soltero a la fuerza porque él mismo se ocupaba de su ropa sucia. Inge le encontraba un aire a Robert Redford a ese americano de unos treinta años, serio, erguido en su traje.

Había descubierto a qué hora bajaba a la *laundry* y nunca dejaba de ir. Nunca se ha visto una mujer arreglarse tanto para ir a hacer la colada.

–Acabará fijándose en mí –decía.

Se las apañaba para marcharse justo cuando se marchaba él. En el ascensor, apretaba el número 16 ostensiblemente, para que él supiera en qué piso podría localizarla. Él, en la luna, apretaba el 32.

–El doble de dieciséis: es una señal –suspiraba ella.

«Lo que me faltaba por oír», pensé.

Aquel idiota no se daba cuenta de su presencia. Por mi parte, la espumosa ropa de la lavadora me parecía infinitamente más interesante que él. Pero, en esta cuestión, no conseguía que Inge compartiera mi punto de vista.

–Estoy segura de que lleva gafas para leer –murmuraba ella–. Tiene una pequeña marca sobre la nariz.

–Un hombre con gafas: qué poca cosa.

–Me encanta.

Investigué y descubrí que el señor de sus pensamientos se llamaba Clayton Newlin.

Con una sonrisa de oreja a oreja, corrí a anunciárselo a Inge, convencida de que eso la curaría de sus males.

–No puedes enamorarte de un tipo que se llama Clayton –dije como una evidencia.

La joven se acostó en su cama y repitió, pasmada:

–Clayton Newlin... Clayton Newlin... Clayton... Inge Newlin... Clayton Newlin...

De repente, su caso me pareció desesperado.

Merecía la pena ser sublime más allá de lo imaginable, si era para prendarse de Clayton Newlin. ¿Qué sabía de él? Que lavaba su ropa, que llevaba gafas para leer... ¿Acaso eso era suficiente? ¡Ah, las mujeres!

Mis padres alquilaban, a una hora y cuarto de coche de Nueva York, una cabaña de madera perdida en pleno bosque en la que pasábamos los fines de semana y parte de las vacaciones. América tiene eso de formidable: a la que abandonas la ciudad, enseguida estás en ninguna parte; dos segundos antes había edificios y dos segundos más tarde ya no hay nada. La naturaleza se entregaba de un modo increíble a sí misma. Nada la balizaba. Uno desembarcaba en la nada con la sensación de estar a miles de *miles* de cualquier forma de civilización.

Inge se negaba a poner los pies en ese lugar: si por fin había abandonado su pueblo belga, no era para volver al bosque —eso sin contar que no podía perderse el momento en el que Clayton Newlin se decidiría a llamar a su puerta.

A Juliette y a mí nos volvía locas aquel lugar llamado Kent Cliffes. Dormíamos en un cuartito desde el que oíamos ruidos tan fuertes de animales nocturnos y crujidos de árboles que nos apretábamos muy fuerte la una contra la otra en la cama, aterrorizadas por la alegría.

Nos lavábamos juntas bajo una ducha miserable por la que corría un agua a veces gélida y a veces ardiente, auténtica ruleta rusa de la higiene, que ocupaba un lugar importante en nuestra mitología.

Organizábamos nuestros placeres: me las apañaba para padecer una crisis de potomanía justo antes de acostarme. Me tumbaba cerca de Juliette, que sacudía mi vientre hinchado por el agua: emanaba de él un gluglú niagariano que nos hacía llorar de risa.

De día, andábamos hasta un rancho casi fantasma en el que un tipo huraño nos dejaba montar sus caballos.

Su esposa nos enseñó los rudimentos: cómo montar y guiar. Gracias a lo cual pudimos aventurarnos por el bosque. Y en la estación cálida nos fue concedido el placer más formidable de cuantos existen: nadar con los caballos. Los montábamos a pelo y nos metíamos en el lago sin abandonar su lomo. El momento grandioso se producía cuando perdían pie y empezaban a nadar de verdad, agitando sus patas, con la cabeza hacia el cielo. Entonces era necesario agarrarse con todas las fuerzas a su cuello para no dejar de ser una amazona.

En invierno caían metros de nieve. Nuestras monturas nos llevaban hasta lo más profundo de la blancura. De vez en cuando, Juliette y yo nos mirábamos, asustadas por tanta felicidad.

Sí, había motivos para tener miedo. Miedo de qué, no tenía ni idea. Pero tanta embriaguez tenía que esconder algo. Vivía en ese confuso temor que hacía que me sintiera más exaltada todavía.

El terror aumentaba mi hambre. La vivía a marchas forzadas. Abrazaba el mundo hasta ahogarlo. La nieve también, deseaba comérmela. Inventé el sorbete nival: exprimía unos limones, añadía azúcar y ginebra, me metía en el bosque con este elixir, elegía una hermosa y gruesa nieve, virgen y en polvo, derramaba encima la poción, sacaba mi cuchara y comía hasta emborracharme. Regresaba a casa con varios gramos de alcohol en la sangre, el corazón quemado por el exceso de nieve.

En el Liceo Francés de Nueva York se produjo un fenómeno inquietante: diez chicas se enamoraron de mí. Y yo sólo estaba enamorada de dos de ellas. Se trataba de un problema matemático.

El asunto podría haber quedado en un simple drama de patio de colegio de no haberse producido el acontecimiento cotidiano del cruce de la avenida. Al mediodía, después de la comida conjunta en la cantina, todos los alumnos del Liceo tenían derecho a una hora de recreo en Central Park. Dadas la inmensidad y la belleza de aquel parque, esa hora era el momento más ansiado de la jornada escolar.

Para llegar a aquel sublime lugar, las autoridades exigían que formáramos una larga fila de niños cogidos de la mano, de dos en dos. De ese modo podíamos cruzar la avenida que nos separaba de Central Park sin deshonrar al Liceo.

Así pues, era necesario elegir a alguien a quien coger de la mano mientras cruzabas la avenida. Yo alternaba entre mis dos mejores amigas, la francesa Marie y la suiza Roselyne.

Un día, la caritativa Roselyne me previno de una inminente crisis.

—Hay muchas chicas de la clase a las que les gustaría darte la mano para ir al parque.

—Yo sólo quiero daros la mano a Marie y a ti —respondí yo, implacable.

—Lo están pasando muy mal —objetó Roselyne—. Corinne ha llorado mucho.

Solté una carcajada, ya que las lágrimas derramadas por semejante causa me parecían estúpidas. Roselyne no lo vio con los mismos ojos.

—De vez en cuando deberías darle la mano a Corinne o a Caroline. Sería un detalle por tu parte.

Así proceden algunas favoritas en los harenes, que se acercan para aconsejarle al sultán que honre a las esposas desamparadas; podemos suponer que las mueve únicamente la caridad y la prudencia —ya que su elección puede costarles notables enemistades.

En mi bondad, a la mañana siguiente le anuncié a Corinne que le daría la mano para cruzar la avenida. Y para que así constara, después de la comida, en el momento de formar la fila, me dirigí hacia ella, a disgusto, no sin antes lanzar desesperadas miradas hacia Marie y Roselyne que, ellas sí, no sólo gozaban de mi favor, sino que tenían unas manos suaves y finas, y no esa enorme pezuña de Corinne que me tocaba rellenar.

¡Ojalá todo se hubiera reducido a eso! Fue necesario soportar sobre todo los gritos de alegría de Corinne, que vivió aquel apretón manual como un triunfo y presumió durante todo el día de lo que presentaba como un acontecimiento planetario.

Ya que, durante toda la mañana, no había dejado de anunciar a voz en grito:

—¡Va a darme la mano!

Y se pasó la tarde repitiendo:

—¡Me ha dado la mano!

Creí que aquel ridículo episodio no tendría consecuencias.

A la mañana siguiente, al llegar al Liceo antes de que empezaran las clases, presencié una escena alucinante: Corinne, Caroline, Denise, Nicole, Nathalie, Annick, Patricia, Véronique e incluso mis dos favoritas estaban pegándose a tortazo limpio y con insensata violencia. Los chicos disfrutaban de lo lindo con el espectáculo y opinaban sobre quién iba ganando.

Le pregunté a Philippe qué estaba ocurriendo:

—Es por tu culpa —me contestó risueño—. Al parecer, ayer le diste la mano a Corinne. Ahora todas quieren darte la mano. Las chicas, ¡qué cosa más estúpida!

Lo peor es que tenía razón: las chicas eran de lo más estúpido. Solté una carcajada y me uní al público de los chicos. La idea de que aquel pugilato tenía como causa el deseo de tocar mi mano durante dos minutos y medio me producía júbilo.

Poco a poco, dejó de parecerme divertido. Porque no se limitaban a tirarse de las coletas y a pegarse patadas en las pantorrillas: ¡menuda zurra se estaban dando! Empujón por aquí, dedos en los ojos por allí –en un momento dado, vi cómo una de mis bellezas favoritas iba a salir desfigurada de aquella melé digna del rugby.

Entonces, como si fuera Cristo, levanté los brazos pacificadores e impuse la calma con mi voz.

Inmediatamente, las diez chiquillas se detuvieron y me miraron con devoción. Lo más duro era contener la risa.

–Bueno –dije–, olvidemos lo que ocurrió ayer. En adelante, sólo le daré la mano a Marie y a Roselyne.

Furor en ocho pares de ojos. Insurrección inminente:

–¡No es justo! ¡Ayer le diste la mano a Corinne! ¡También tienes que dármela a mí!

–¡Y a mí!

–¡Y a mí!

–¡No tengo ganas de daros la mano! Sólo se la daré a Marie y a Roselyne!

Éstas me lanzaron miradas de desamparo para que cambiara de opinión y comprendí que se arriesgaban a correr serias represalias. Por lo demás, las otras chiquillas no cejaban en su griterío.

—Ya que os ponéis así —clamé—, voy a instaurar un reglamento.

Cogí una enorme hoja de papel sobre la que anoté un esbozo de calendario de roces manuales para los próximos meses: cada casilla equivalía a un cruce de avenida y escribí, al injusto azar de mis preferencias, los nombres.

—Lunes 12, Patricia. Martes 13, Roselyne. Miércoles 14…

Y así sucesivamente. Los nombres de mis favoritas fueron anotados muchas más veces, porque, de todos modos, bien tenía derecho a imponer mis preferencias. Lo más divertido era la sumisión de aquel harén que, en adelante, adoptó la costumbre de acercarse a consultar el precioso pergamino. Y no era raro tropezarse con una chiquilla que miraba el programa con piedad y suspiraba:

—Ah, a mí me toca el jueves 22.

Todo esto ante la consternada mirada de los chicos, que decían.

—Las chicas, ¡qué cosa más cursi!

Yo les daba toda la razón del mundo. Aunque esa admiración hacia mi persona me pareciera deleitable, no la aprobaba. Si aquellas chicas me hubieran amado por lo que yo consideraba eran mis cualidades, a saber: mi habilidad con las armas, mi excelente *grand écart,* mi talento para la *sissone,* mi sorbete de nieve o mi sensibilidad, lo habría entendido.

Pero me amaban por lo que los profesores denominaban pomposamente mi inteligencia y que sólo consistía en una facultad absurda. Me amaban porque era la mejor alumna. Me avergonzaba de ellas.

Lo cual no me impedía desfallecer de alegría cuando cogía la mano de una de mis favoritas. No sabía lo que aquello representaba para Marie y Roselyne —¿una atracción?, ¿una prueba de estatus?, ¿una diversión?, ¿una auténtica ternura?—, sabía lo que representaba para mí. Me habían rechazado lo suficiente en otras épocas para no despreciar el valor de todo aquello.

Lo que me ofrecían, me lo ofrecían en virtud de un sistema que me ponía enferma: la infecta ley del Liceo Francés, que señalaba con el dedo al mal estudiante y que ofrecía a los primeros a la admiración de la asamblea. Yo amaba a aquellas que me hacían soñar, a aquellas cuyos hermosos ojos desintegraban los puntos de referencia, a aquellas cuyas pequeñas manos te llevaban hacia misteriosos destinos, a aquellas que te proporcionaban la exaltación a través del olvido; ellas, en cambio, amaban a las que tenían éxito.

En casa, las cosas no eran muy distintas. Amaba con un amor auténtico a mi excesivamente hermosa madre, que me amaba, es cierto —y sin embargo sentía que aquel amor no era de la misma naturaleza. Mamá encontraba su orgullo en esa cosa hueca llamada mi inteligencia, elogiaba lo que denominaba mis triunfos: ¿acaso aquellos prestigios eran yo? Yo no lo creía. Yo me reconocía en mis sueños y en los sufrimientos de mis noches de asma, en las que me creaba visiones sublimes para huir del sofoco: mi boletín de notas no era mi carnet de identidad.

Amaba con un amor auténtico a la celestial Inge, que me amaba, sí –pero, una vez más, ¿a quién amaba ella? Amaba a la divertida chiquilla que le escribía poemas y que le declaraba su pasión con un énfasis cómico. ¿Aquellas expansiones eran yo? Lo dudaba.

Amaba con un amor auténtico a la exquisita Juliette –oh, maravilla, ella me amaba igual que yo la amaba, sin condiciones, me amaba por lo que yo era, dormía a mi lado y me amaba cuando tosía por la noche: había sitio en este mundo para un amor de verdad.

Con los hombres, las cosas eran simples aunque de un modo distinto: amarlos o ser amada por ellos era una pura circunstancia del espíritu. Yo amaba a mi padre y mi padre me amaba a mí. No veía en eso la menor señal de complejidad y, además, ni siquiera pensaba en ello.

Que alguien pudiera buscar el amor de un chico me parecía grotesco. Pelear por un estandarte o un Grial tenía sentido: un chico no es ni lo uno ni lo otro. Es lo que no me cansaba de explicarle a Inge. Por desgracia, en este punto estaba atascada.

Junto a eso, reconocía en los chicos toda clase de virtudes; eran mejores compañeros de lucha, jugaban mejor a la pelota, no obstaculizaban las batallas con sus cargantes estados de ánimo y me apreciaban saludablemente por lo que yo era: un adversario.

Había conseguido matar a un tipo de mi clase

con la única fuerza de mi mente. Había deseado su muerte durante toda una noche y, por la mañana, la desconsolada maestra nos había comunicado el fallecimiento de aquel alumno.

Quien puede lo más puede lo menos: si había matado a un chico, también podría matar palabras.

Había tres palabras que no soportaba: sufrir, ropa y bañar (esta última me resultaba especialmente odiosa en su forma pronominal). Su significado no me molestaba, la prueba es que sus sinónimos resultaban perfectamente digeribles. Lo que me sacaba de quicio era su sonido.

Empecé odiándolas a muerte durante toda una noche, esperando que la victoria fuera tan fácil como en el caso del tipo de mi curso. Por desgracia, a la mañana siguiente constaté un uso extendido de los vocablos ignominiosos.

Así pues, era necesario legislar. En casa y en el Liceo, promulgué unos edictos desterrando las tres palabras. Me miraron con extrañeza y no dejaron de sufrir, de llevar ropa ni de bañarse.

Con afán pedagógico, les expliqué que también se obtenían resultados igual de buenos con padecer, remojarse y vestirse. Me miraron con perplejidad y nadie cambió nada de su vocabulario.

Enloquecí. Aquellas palabras me resultaban realmente insoportables. La envarada sonoridad del verbo «sufrir» me sacaba de mis casillas. El preciosismo de la palabra «ropa», marcada por ese redoble

115

inicial de la erre, me provocaba deseos de matar. El colmo del horror se alcanzaba con «bañarse», sintagma abstracto que tenía la pretensión de definir lo más hermoso que un ser humano puede alcanzar en este planeta: estar en el agua.

Empecé a tener crisis de rabia cuando alguien las empleaba en mi presencia. La gente se encogía de hombros y persistía en sus extravíos lingüísticos. De mi boca salía espuma blanca.

Juliette declaró que estaba de acuerdo conmigo:

–Esas tres palabras son atroces. Ya no las diré nunca más.

Alguien me amaba en este mundo.

Para las vacaciones de Navidad, a mi hermano le soltaron de su internado belga y vino a pasar dos semanas con nosotros en Nueva York. Se enteró de mis leyes léxicas y, entusiasmado, empezó a emplear los vocablos prohibidos cuatro veces por minuto. Le encantaba observar mis reacciones y afirmaba que me parecía a la protagonista de *El exorcista*.

Pasados quince días, fue devuelto a su presidio jesuita.

«Éste es el castigo por haberse extralimitado en mis decretos», pensé viéndole partir hacia al aeropuerto.

A fin de cuentas, con los hombres las cosas eran más simples que con las palabras: yo podía asesinar a un chico en una noche de concentración. Contra las palabras, no podía hacer nada.

Me sentía desafortunada: los tres vocablos insostenibles eran palabras de uso común. No pasaba un día sin que tuviera que soportar su aparición; eran las balas perdidas de la conversación.

Si hubiera sido alérgica a los términos «cenotafio», «zythum» o «no obstante» mi vida habría sido menos complicada.

Un día, un responsable del Liceo telefoneó a mi madre.

–Su hija tiene un cerebro superdesarrollado.

–Lo sé –dijo mamá, a quien esa clase de comentarios no conmovían lo más mínimo.

–¿Cree usted que sufre por ello?

–Mi hija nunca sufre –dijo ella rompiendo a reír.

Colgó. Al otro lado del hilo, el buen hombre debió de pensar que pertenecía a una familia de perturbados mentales.

Por lo demás, mi madre estaba en lo cierto: dejando a un lado mis alergias verbales y mis calvarios asmáticos, no sufría. Mi supuesta supercapacidad mental era sobre todo un formidable instrumento de placer: tenía hambre y me creaba universos que, aunque no me saciaran, desencadenaban placer allí donde antes había hambre.

Para las vacaciones de verano, los padres inscribieron a los tres hijos en un campo de actividades para la juventud, no muy lejos de la cabaña de Kent Cliffes. Querían someternos a una inmersión en un medio cien por cien americano, con el objetivo de que habláramos el idioma con mayor soltura.

Por la mañana, a las nueve, papá nos llevaba al campamento y no volvería a recogernos hasta las cinco de la tarde. La jornada empezaba impepinablemente por lo más grotesco del universo: el saludo a la bandera.

Todos los niños y los monitores se reunían en la pradera que rodeaba la bandera estadounidense que acababa de ser izada. La oración ascendía entonces del centenar de pechos presentes:

—*To the flag of the United States of America, one nation, one...*

Aquel blablablá patriótico, en el que incluso las mayúsculas podían identificarse, se perdía en un barullo lleno de fervor. André, Juliette y yo no dábamos crédito a tanta estupidez: no estábamos en Nueva York, estábamos en el bosque americano, donde se cultivaban los auténticos valores.

Mi hermano, mi hermana y yo salmodiábamos a escondidas una letra distinta:

—*To the corn flakes of de United States of America, one ketchup, one...*

Los monitores nos llamaban los tres búlgaros: eso era lo que habían entendido cuando habíamos revelado nuestra nacionalidad belga. Por otro lado, eran muy amables y se mostraron encantados de tener en su campamento a unos niños de países del Este:

—¡Para vosotros es maravilloso descubrir un país libre!

Había actividades para el buen tiempo y actividades para el mal tiempo. Como el clima era excepcional, dedicábamos varias horas al día a aprender equitación. En las raras ocasiones en las que se dignaba llover, nos enseñaban el arte de fabricar sillas de montar apaches o adornos iroqueses.

El profesor de manufacturas americanas (así se llamaba la disciplina antes citada) se llamaba Peter y se apasionó por mí. Cualquier ocasión era buena para sugerirme el uso de esta o aquella perla en la elaboración de un collar sioux.

–De verdad, tienes un auténtico rostro búlgaro –me dijo en un tono enamorado.

Me lancé en una explicación de mis auténticos orígenes: venía de Bélgica, era el país que había inventado los *spéculoos,* y allí el chocolate era mejor que en otros sitios.

–La capital de Bulgaria es Sofía, ¿verdad? –preguntó él con ternura.

Ya no volví a insistir.

Peter tenía treinta y cinco años y yo nueve. Tenía un hijo de mi edad, Terry, que nunca me había dirigido la palabra ni yo a él. Una tarde, este monitor le preguntó a mi padre si la noche siguiente podía dormir en su casa con el objeto de jugar con su hijo pequeño: papá aceptó. Aquello me pareció extraño: si Terry me había echado el ojo, lo disimulaba muy bien.

La noche siguiente, Peter me llevó a su casa. En las paredes había mantas para sillas de montar apaches. Su mujer, amable y fea, llevaba joyas cheyenes. Yo miraba la televisión con Terry, que no me dijo palabra, ni yo a él.

La cena fue horrorosa. Habría jurado que las hamburguesas de carne contenían auténtico puré de arañas trituradas. En homenaje a Bulgaria se sirvieron yogures, excusándose de que no fueran más auténticos (palabra apreciada por Peter).

Luego me condujeron a una gran habitación donde no había nada más que una cama. Me pareció extraño no dormir con Terry, pero en el fondo, prefería que fuera así. Me puse el pijama y me acosté.

Fue entonces cuando entró Peter llevando un gran objeto envuelto en una tela. Se sentó sobre la cama, cerca de mí. Muy afectado, levantó la tela y me mostró un casco de soldado:

—Es el casco de mi padre.

Yo lo miraba con educación.

—Murió intentando liberar tu país —dijo temblando.

No me atrevía a inquirir ni de qué país ni de qué intento de liberación hablaba. Me sentía molesta, y me preguntaba qué exigía de mí el protocolo en semejante caso.

¿Debía decir algo así como «Gracias a los Estados Unidos por haber enviado a su padre a morir para intentar liberar mi pobre país»? Aquella situación era ridícula y lo sufría en mi dignidad infantil.

Sin embargo, todavía me quedaba mucho por ver. Peter se quedó mirando fijamente el casco de su padre durante largo rato, luego rompió a llorar y me abrazó repitiendo convulsivamente:

—*I love you! I love you!*

Me apretaba como un loco. Con la cabeza por encima de su hombro, yo hacía muecas de vergüenza.

Aquello duró mucho tiempo. ¿Qué había que decirle a un tipo que te declaraba algo semejante? Nada, sin duda.

Acabó dejándome sobre la cama. Con el rostro bañado en lágrimas, me miró a los ojos y me acarició la mejilla. Parecía quererme, me habría gustado estar en otra parte. Era consciente de no tener nada que reprocharle, pero experimentaba un apuro considerable. Me dio las gracias, con un tono digno del Actor's Studio, por haber «compartido este instante» con él.

Luego se marchó, dejándome sola en la habitación.

Pasé una noche de perplejidad. Nunca volví a saber más de él.

Regreso a Nueva York para el nuevo curso escolar.

Los amores de Inge con Clayton Newlin no habían progresado ni un ápice. Mi madre le aconsejó que hablara con él, que intentara dar el primer paso.

—Nunca —respondió la joven con orgullo.

Pasábamos mucho tiempo juntas. Me encantaba mirarla. Ensayaba modales delante del espejo, yo los comentaba. Poco le faltó para ponerse un vestido de noche para bajar al piso de la *laundry* a lavar la ropa.

Cualquier pretexto era bueno para ir a meter ropa en la máquina. Pretendía tener la capacidad de pronosticar cuándo iría Clayton Newlin. Cuando lo veía, cambiaba. Su rostro se paralizaba.

No sé cuántas veces tomamos el ascensor con Clayton Newlin. Aquella situación se estaba volviendo obsesiva: ella, él y yo, en un ascensor. Ella devorándolo con los ojos, él sin verla, yo asistiendo, impotente, a la escena.

Una noche, se produjo el milagro.

Inge y yo habíamos saltado dentro del ascensor al mismo tiempo que el fabuloso soltero. Ocurrió entonces algo formidable: yo me convertí en Clayton Newlin. De repente, mis ojos se abrieron y vi. Vi, delante de mí, a la chica más bonita del universo, que me miraba, jadeante de amor. Yo era un hombre del que una mujer sublime estaba locamente enamorada: yo era Dios.

Aquel zopenco de Clayton Newlin quizá nunca se habría fijado en ese prodigio si yo no me hubiera convertido en él. Él, sin embargo, no era del todo yo, ya que no se arrodilló ante ella ni le pidió que se casara con él. Pero por fin descubrimos la voz de Clayton Newlin: le propuso a Inge cenar con él.

Tenía una bonita voz. El instante tan ansiado había llegado.

Yo era los ojos del americano, veía a la joven pasmada, adivinaba que su corazón dejaba de latir, me convertía en su vida, aquel ascensor era un jardín, una pequeña serpiente cogía la mano de la enamorada, era el momento más importante de la Historia.

Yo era la niña de nueve años que asistía a la escena entre los dos elegidos, la dama de mis pensamientos, la Inge de los veinte años de pura perfeccción, y el hombre de sus pensamientos, a quien yo cedía mis poderes, sin duda alguna el bienaventurado del día.

Inge ya no tenía voz, ella era sus ojos, merecía la pena ser Clayton Newlin para ser mirado así —¿acaso la humanidad entera no se redimía por el mero hecho de que una criatura tan celestial le dedicara, aunque fuera por el espacio de un minuto, una mirada así a alguien?

En aquel momento él ya sentía su abrazo, y ella recibía su aliento, voy a contarte un gran secreto, te esperaba desde hace mucho más tiempo que el tiempo que llevo de vida, tantos milenios para llegar hasta ti, para que tus manos se cierren sobre mi rostro; por fin sé cuál es la razón por la que respiro, aunque no esté respirando en este segundo, voy a contarte un gran secreto, es más fácil morir que vivir, ésa es la razón por la que viviré por ti, amor mío, ya que todos los auténticos enamorados citan a Aragon sin saberlo, o fingiendo que no lo saben.

Ley de género: siempre que hay un jardín, un hombre, una mujer, un deseo y una serpiente, hay que esperar un desastre. La catástrofe planetaria tuvo lugar en el ascensor neoyorquino.

Inge recuperó la voz. Una incomprensible frialdad se apoderó de sus ojos y respondió con una palabra repugnante:

–No.

No, no habrá cena con Clayton Newlin, no habrá amor, me has esperado durante milenios y yo te doy plantón, tu abrazo se cerrará sobre el vacío, tu aliento no quemará a nadie, te he esperado desde el Edén pero nada va a ocurrir, así es el soberano deseo de la infelicidad, no te contaré secreto alguno, es más fácil vivir que morir, ésa es la razón por la cual mi vida entera sólo será muerte, cada mañana, al salir del sueño, mi primer pensamiento será que ya estoy muerta, que me he matado diciendo no al hombre que era mi vida, así, sin motivo, sin más motivo que este vértigo que empuja a echarlo todo por la borda, que ese abyecto poder de la palabra «no», ese «no» que se apoderó de mí en el momento crucial de mi existencia, apagad las antorchas, despojaos de vuestros hermosos vestidos, la fiesta terminó antes siquiera de comenzar, cuando ya no haya sol, cuando ya no haya tiempo, cuando ya no haya mundo, cuando ya no haya nada, cuando ya sólo tenga en el corazón este enorme por qué, yo era la que tenía el universo en sus manos y decidí que el universo moriría, pese a que deseaba que viviera, no comprendo qué ocurrió.

Nadie comprendió lo que ocurrió. Inge no comprendió por qué había dicho que no. Aquella palabra me expulsó bruscamente del cuerpo del americano, volví a ser yo y levanté hacia el rostro de la joven unos ojos incrédulos.

Vi el impacto del no entrar en el pecho de Clayton Newlin. Algo gigantesco murió al instante. Reaccionó con mucha dignidad. Articuló simplemente un leve «oh».

Un caso claro de lítote: el apocalipsis acababa de producirse dentro de él y su comentario era «oh».

Luego se miró los pies y se calló. No volvimos a escuchar nunca más el sonido de su voz.

El ascensor se detuvo en el piso dieciséis. Inge y yo bajamos. La historia del fin del mundo había tenido lugar en un ascensor neoyorquino, entre el piso menos uno y el piso más dieciséis.

Las puertas automáticas se cerraron sobre las calabazas que acababan de darle a Clayton Newlin.

Cogí la mano helada de Inge y arrastré su cadáver hasta el apartamento.

La joven se derrumbó sobre el sofá.

Durante horas estuvo repitiendo, alelada:

—¿Por qué he dicho que no? ¿Por qué he dicho que no?

La primera pregunta que le hice fue:

—¿Por qué has dicho que no?

—No lo sé.

Mi madre acudió en nuestro auxilio. En pocas palabras convulsivas, volvió a describir el drama.

—¿Por qué ha dicho que no, Inge?

—No lo sé.

127

No lloraba. Estaba muerta.

Mi madre decidió cambiar el curso de la Historia.

—No es grave, Inge. No vamos a quedarnos así. Usted va a corregir su error. Vaya inmediatamente a llamar a su puerta y dígale que tiene la noche libre, finalmente. Dígale lo que sea, que se confundió con su agenda, invente algo. Sería demasiado estúpido perder una ocasión como ésta por su metedura de pata.

—No, señora.

—Pero ¿por qué?

—Sería mentir.

—Al contrario. Sería restablecer la verdad. Usted le ha dicho que no pensando que sí: ésta era la mentira.

—No, no era una mentira.

—¿Qué era pues?

—Era la voz de la desgracia. Era el destino.

—Venga, Inge, ¡menuda tontería!

—No, señora.

—¿Quiere que vaya a decírselo yo?

—Ni se le ocurra, señora.

—Su historia es para darse con la cabeza contra la pared, Inge.

—Es la vida.

—Todo el mundo puede equivocarse. Se pueden corregir los errores.

—Es demasiado tarde, señora. No insista.

Se mantuvo en sus trece.

Aquella noche descubrí algo terrible: uno puede echar su vida por la borda por culpa de una sola palabra.

Hay que precisar que aquella palabra no era una palabra cualquiera, era la palabra «no», palabra mortal, derrumbamiento del universo. Palabra indispensable, es cierto, pero que desde aquel día en el ascensor neoyorquino nunca he vuelto a pronunciar sin escuchar en mi oído el silbido de una bala. En el Oeste americano, una muesca en la empuñadura de un arma de fuego significaba un muerto: el palmarés de un fusil se leía por el número de muescas. Si las palabras tienen una memoria similar, no hay duda de que la palabra «no» es la que más cadáveres tiene en su activo.

Inge no tardó en ser despedida de su agencia de modelos.

—Es usted demasiado infeliz para ser hermosa —le dijo secamente el reclutador.

Lástima: no necesitaba ningún régimen para mantenerse delgada como un clavo.

Inge continuó viviendo, tuvo hombres y no pretendo saberlo todo sobre su existencia ulterior. Sin embargo, estoy convencida de que lo esencial de su ser murió ante mis ojos, en el ascensor, por culpa de una palabra absurda.

Nunca más la vi sonreír.

La muerte contenida dentro de la vida me asustó.

Para calmarme, exigí demasiado amor. Como un señor feudal en plena Edad Media, agobiando con impuestos a su pueblo exangüe, reclamé de mis favoritas inhumanos tributos amorosos: las obligué literalmente a arrodillarse.

Ellas consintieron de buen grado, pero sus ofrendas nunca me parecían suficientes. Inge había muerto y ya no podía darme amor. Entonces me fijé en la más sublime de las mujeres: mi madre.

Me colgué de su cuello.

—Mamá, quiéreme.

—Te quiero.

—Quiéreme más.

—Te quiero muchísimo.

—Quiéreme todavía más.

—Te quiero tanto como pueda uno llegar a querer a su hijo.

—¡Quiéreme más que todo eso!

De repente, mi madre vio al monstruo que se abrazaba a ella. Vio al ogro que había criado, vio el hambre personificada, con sus ojos gigantescos, que exigían una satisfacción fuera de toda norma.

Inspirada sin duda por las fuerzas oscuras, mi madre pronunció unas palabras en las que algunos verían crueldad, pero que eran de una firmeza indispensable y que, en adelante, desempeñarían un papel capital en mi existencia:

—Si quieres que te quiera un poco más, sedúceme.

Aquella frase me indignó. Rugí:

—¡No! ¡Tú eres mi madre! ¡No tengo que seducirte! ¡Tú tienes que quererme!

—Eso no existe. Nadie tiene que querer a nadie. El amor, uno se lo gana.

Me derrumbé. Era la peor noticia que había oído nunca: tendría que seducir a mi madre. Tendría que merecer su amor y todos los demás amores.

Así pues, no bastaba con aparecer y exigir ser amada. Así pues, yo no tenía esencia divina. Así pues, las dosis faraónicas de amor que yo exigía no eran legítimas. Aquella avalancha de así pues hizo que me viniera abajo.

Seducir a mi madre: no sería moco de pavo. ¿Cómo hacerlo? Ni idea.

Peor aún: en adelante habría que merecer el amor. Me sentía como la familia real inglesa al enterarse de que tendría que pagar impuestos: ¿cómo? ¿Ahora resultaba que no tenía derecho a todo por mi cara bonita?

Por si eso fuera poco, era perfectamente consciente de que necesitaría demasiado amor: no me conformaría con la porción congrua. Iba a tener que merecer dosis incongruentes de amor. En pocas palabras, iba a tener que emplearme a fondo y pasarlas canutas.

Tenía toneladas de trabajo por hacer. Y fui consciente de algo que se me reveló entonces y que no dejó de revelarse en adelante: en la vida, iba a tener que cansarme.

Aquella idea me agotó de antemano.

Afortunadamente, estaba Juliette. Con ella el exceso era absoluto, incondicional.

Era admirable. Escribía poemas rebordeados con adjetivos incomprensibles. Siempre llevaba flores en sus largos cabellos. Se maquillaba los ojos y su boletín de notas. Se hacía querer por los caballos. Cantaba sin desafinar. Se había batido en duelo con un tipo de su clase que le había seccionado el dedo. Hacía saltar y dar vueltas en el aire las crepes que cocinaba. Era impertinente con los adultos.

No dejaba de deslumbrarme.

Mis padres la elogiaban porque leía a Théophile Gautier. Vi allí un filón para seducir a mi madre.

Decidí leer libros de un nivel superior a los de mi edad. Leí *Los miserables*. Me encantó. Cosette perseguida por los Thénardier, resultaba deleitable. La persecución de Jean Valjean por Javert me fascinaba.

Había leído para que me admiraran. Leía y descubría que admiraba. Admirar era una actividad exquisita, eso producía picores en las manos y facilitaba la respiración.

La lectura era el lugar privilegiado de la admiración. Me puse a leer mucho para poder admirar a menudo.

La vida neoyorquina proseguía con su incesante cortejo de ebriedades.

Era un alborozo de largo recorrido, pero Juliette y yo ya habíamos entendido la ley: sólo duraría un tiempo. Tan pronto como lo decidiera el Ministerio belga de Asuntos Exteriores, iríamos allí donde nos mandaran.

Así pues, era necesario emborracharse lo más posible. Allí donde nuestro padre fuera destinado en adelante, a la fuerza sería un país menos delirante, y seguramente habría menos whisky y salidas nocturnas.

Me enamoré de una bailarina, Susan Farrell, estrella de Nueva York en aquella época. Tenía un encanto pavoroso. No me perdía ninguno de sus ballets. Una noche, la esperé en el camerino para comprar las zapatillas que acababa de llevar: ante mis ojos enamorados, se las quitó de sus pies menudos, me las firmó y me dio un beso.

Me di cuenta de que, pese a mis nueve años, calzábamos el mismo número: de tanto practicar puntas, Susan Farrell debía de haber encogido sus dedos de los pies. Devotamente, no llevaba más calzado que aquellas zapatillas. En el Liceo, me desplazaba sobre las puntas. Los chicos de la clase afirmaron que aquélla era la prueba definitiva de mi desarreglo mental.

En el momento de atar alrededor de mis tobillos las cintas de Susan Farrell, experimentaba, por decirlo de algún modo, el apretón de sus pies contra los míos, me estremecía de éxtasis.

Escuchaba a la profesora mirándola fijamente a los ojos, fingiendo la más recomendable de las atenciones. Durante ese tiempo, sólo pensaba en mis dedos de los pies, en una situación idéntica a la de mi Egeria. Mi placer era infinito.

Durante el verano mi padre nos llevó en su Dodge a visitar el Oeste americano.

Yo creía conocer el sentido de la palabra «grande». Uno tiene que haber recorrido los Estados Unidos en coche para empezar a entrever en qué consiste la grandeza: días enteros de carreteras en línea recta sin ver a un solo ser humano.

Desiertos infinitos, campos tan enormes que parecían no ser cultivados por nadie, praderas hasta perderse de vista, montañas hasta perderse de altura, puebluchos hasta perderse de humanidad, moteles habitados por zombis, árboles tan viejos que nuestra vida carecía de valor, California y, por el aniversario de mis diez años, San Francisco, que amé inmediatamente con toda mi alma. Esa ciudad estaba hecha para mí, con sus desniveles irracionales, el Golden Gate Bridge y las reminiscencias de *Vértigo* en cada esquina.

Diez años: la mayor edad de mi vida, la madurez absoluta de la infancia. Mi felicidad sólo podía compararse con mi angustia: podía oír el lejano tañido de las campanas tocando a muerte. Aunque los sordos ruidos de la pubertad todavía no eran audibles, los siniestros rumores de la salida sí empezaban a definirse.

Aquél sería el último año en Nueva York. Sólo doce meses. Ya ese gustillo a muerte asomando en el sabor de las cosas, haciéndolas tan sublimes y tan desgarradoras. Las orquestas de la futura nostalgia afinaban ya sus instrumentos.

A mi padre le comunicaron que el próximo verano sería destinado a Bangladesh. Era la primera vez en su vida que sería embajador. Se alegró, tanto más cuanto que eso suponía abandonar la ONU, que tan aburrida le resultaba.

Sin haber estado nunca, sabíamos que Bangladesh, el país más pobre del mundo, sería lo contrario que Nueva York. En prevención, multipliqué por dos mis dosis de whisky. Nunca se es lo bastante precavido.

Me había acostumbrado en grado sumo a la idea de que la existencia sería un largo alborozo alcoholizado, rebosante de bailarinas, animado con espectáculos musicales, con los rascacielos de Manhattan como único horizonte.

Prefería no pensar en la miseria extrema del que sería mi próximo país.

De común acuerdo, Juliette y yo nos entregamos al desenfreno. En las precedentes celebraciones de Halloween, nos habíamos disfrazado convencionalmente de brujas o de geishas. Aquel año, con motivo del último Halloween de nuestra vida, Juliette se caracterizó de templario *fin de siècle* y yo de pagoda marciana. Caminamos por las oscuras calles gritando cánticos bárbaros y atacando a los desconocidos con nuestros sables.

Juliette decretó que era necesario dilapidar en Nueva York nuestros escuálidos ahorros.

—En Bangladesh no habrá nada que comprar —previno ella.

Nuestras huchas fueron rotas para ir de bares a beber *Irish coffees*, *whiskies sour on the rocks*, cócteles de nombres difíciles. En el apartamento, nos rematábamos con chartreuse verde, que mi hermana denominaba fastuosamente absenta. Inge nos ofrecía cigarrillos que multiplicaban por cinco nuestras melopeas. En el Liceo, tenía resaca.

–Qué buena vida –nos decíamos mutuamente.

Abandonar Nueva York también significaba abandonar a mis favoritas. Redoblé mi pasión por Marie y Roselyne. Nos juramos amor eterno, hicimos pactos de sangre, de uñas, de cabellos.

Como ocurre en las óperas, nuestras despedidas duraron meses. No dejábamos de celebrar nuestro fervor, de hablar del horror de nuestra futura separación, de enumerar los sacrificios que estaríamos dispuestas a hacer unas por otras («cuando ya no estés aquí, dejaré de comer helado de pistacho»), de encontrar en la literatura pasajes tan conmovedores para describir la inminente tragedia («... que el día empiece y que el día termine...»), de entrecruzar nuestros tobillos debajo de los bancos, en clase.

Marie y Roselyne me aseguraron que se convertirían en mis desconsoladas esposas. A juzgar por lo que decían, llevarían luto por mí y se cubrirían la cabeza con mis cenizas. En mi mansedumbre, me preocupaba por su dolor futuro: para consolarlas de la atrocidad de una vida sin mí, les sugería que se amaran la una a la otra. Así, con la persistencia de su unión, honrarían mi memoria.

Todas aquellas barbaridades las decía en serio.

Le hablaba a mi madre del infinito calvario en el que, después de mi marcha, se convertiría la existencia de mis dos favoritas. A manera de respuesta, mamá me llevó a ver *Così fan tutte*. Me encantó, pero no entendí el mensaje. Y es que yo me disponía de verdad a amarlas para siempre.

Una noche, mientras me saciaba con una crisis de potomanía mediante la absorción de un enésimo litro de agua, mi madre, que asistía en silencio a aquel espectáculo recurrente, detuvo mi gesto:

—Basta.

—¡Tengo sed!

—No. Acabas de tragarte quince vasos de agua en cuatro minutos. Vas a explotar.

—No voy a explotar. Me muero de sed.

—Se te pasará. Para ya de una vez, ahora.

Experimenté dentro de mí un tsunami de rebelión. La embriaguez provocada por el agua era mi placer místico, y no perjudicaba a nadie. Ninguna otra experiencia me colmaba hasta ese punto, y me demostraba la existencia de una generosidad realmente inextinguible. En un mundo en el que todo se contaba, en el que las porciones más incongruentes todavía parecían tener su origen en una u otra forma de racionamiento, el único infinito fiable era el agua, grifo abierto conectado a una fuente eterna.

No sé si la potomanía era una enfermedad de mi cuerpo. Yo más bien la identificaría con la salud de mi alma: ¿acaso no era la metáfora fisiológica de mi necesidad de absolutos?

Sin duda, mamá temía que mi vientre explotara: eso era desconocer la naturaleza infantil que me hacía asemejarme al tubo. Mi tubería era tan rápida que, cinco minutos después de una crisis, me instalaba en los servicios para un pipí de diez minutos sin interrupción que hacía gritar de risa a Juliette y que contribuía a que la existencia fuera más placentera.

Fue de cólera por lo que exploté. Intentaban separarme del agua, mi elemento. Querían mantenerme al margen de mi propia definición. Una barrera interior cedió, arrastrando torrentes de furor.

Enseguida me calmé. Con esa pasión ocurriría lo mismo que con todas las demás: la viviría en la clandestinidad, esa vieja amiga que permitía las golosinas, el alcohol y los insospechables excesos de una niñita belga.

La lista de comportamientos que exigían ser escondidos ya era bastante larga.

Inge no abandonaría Nueva York. Insistía en permanecer en el lugar de su desgracia.

Ella fue la que nos llevó, en un terrible día del verano de 1978, al aeropuerto.

Yo me sentía despavorida de sufrimiento. No era la primera vez en mi vida que se producía el apocalipsis. Pero para semejantes desgarramientos no existía ningún mecanismo de costumbre, sólo una acumulación de dolores.

Fue necesario separarme a la fuerza del abrazo de Inge. Desde el otro lado del cristal, las favoritas me mandaban besos. Mi espanto no sabía por dónde empezar.

Juliette me cogió la mano. Su sentimiento de horror era idéntico al mío, yo lo sabía.

Avión. Despegue. Desaparición de Nueva York en la lejanía. Jamás. Nueva York súbitamente anexada al país de nunca jamás. Tantos escombros dentro de mí. ¿Cómo vivir con tanta muerte?

Mi hermana, astuta, me enseñó un pequeño frasco que guardaba dentro de su bolso.

—Es agua de Kent Cliffes.

Ante semejante tesoro, mis ojos se abrieron de par en par. Kent Cliffes era el lugar en el que Juliette y yo habíamos vivido nuestras noches más hermosas. Agua de Kent Cliffes, era la magia en estado puro. Aquel elixir nunca nos abandonaría.

En 1978, Bangladesh era una calle llena de gente agonizando.

Nunca una población me pareció tan enérgica. Todo el mundo tenía fuego en la mirada. La gente la palmaba con pasión. El hambre, omnipresente, incendiaba la sangre de los bangladeshíes.

Nuestra casa era un búnker deslucido en el que había alimentos: lujo supremo.

Las jornadas de los seres humanos tenían como única actividad la lucha contra la agonía.

Mis padres tenían cuarenta años, el año de arremangarse y de poner su responsabilidad a disposición del trabajo. Mi padre, enajenado por la magnitud de la tarea, llevó a cabo cosas inmensas.

Yo tenía once años. No era la edad de la compasión. En aquel gigantesco moridero, no experimentaba nada más que espanto. Era como una soprano a la que hubieran enviado al más sangriento de los campos de batalla y a la cual, de repente, aquel espectáculo le revelaría la incongruencia de su voz, sin que eso le impidiera cambiar de registro. Era mejor callarse.

Me callé.

Mi hermana compartió mi silencio. Éramos demasiado conscientes de nuestros estatus de privilegiadas para atrevernos a decir palabra. Salir a la calle exigía de nosotras un valor sin precedentes: había que armarse los ojos, prepararles un escudo.

Incluso prevenida, la mirada seguía siendo permeable. Recibía en el estómago el impacto de aquellos cuerpos de una delgadez desconocida, de aquellos muñones surgiendo allí donde resultaban inconcebibles, de aquellas llagas, de aquellas paperas, de aquellos edemas, pero sobre todo de aquel hambre gritada por tantos ojos a la vez que ningún párpado habría logrado impedir que se escuchara.

Regresaba al búnker enferma de odio, un odio que no se dirigía a nadie en particular y que, por consiguiente, desahogaba sobre todas las cosas, guardando para mí la parte proporcional.

Empecé a odiar el hambre, las hambres, la mía, las otras, e incluso a aquellos que eran capaces de experimentarla. Odié a los hombres, a los animales, a las plantas. Sólo las piedras eran tratadas con indulgencia. Me habría gustado ser una de ellas.

Juliette y yo íbamos por el mal camino. Papá nos habló con firmeza: nos rogaba que corrigiéramos nuestra actitud. No debíamos olvidar que aquí, cualquiera habría querido estar en nuestro lugar. Debíamos cerrar la puerta a nuestros estados de ánimo. Siempre se había sentido orgulloso de nosotras y esperaba que eso no cambiara.

–La vida continúa –dijo.

Aquella última frase era un salvavidas al que intenté agarrarme. Pensaba en mis favoritas y les escribí a cada una una larga carta rebosante de entusiasmo. No intentaba hablarles de Bangladesh: no encontraba las palabras para hacerlo. Les dije que disfrutaran de Nueva York.

Juliette y yo no hacíamos más que leer. Tumbadas la una contra la otra en el sofá, leíamos ella *Diálogos de animales*, yo, *El conde de Montecristo*. Resultaba extraordinario pensar que existía un universo en el que unos animales sobrealimentados mantenían sofisticadas conversaciones y en el que uno podía dedicar su vida a envites tan suntuosos como la venganza.

Salíamos cada vez menos; nuestros padres nos lo reprochaban. Nos escudábamos en el calor. Papá, que empapaba cuatro camisas al día, dijo que no veía cuál era el problema.

—Sois unas señoritas.

Juliette aceptó el veredicto. Yo, dolida, decidí irme al frente para demostrar mi valentía. Monté en mi bicicleta y me lancé a toda velocidad a través del barullo hasta el centro de la ciudad, donde estaba el gran mercado. Allí había un amplio muestrario de moscas; dabas una palmada, una bandada de insectos salía disparada y uno descubría la maloliente carne que vendía el carnicero.

En cuanto al farmacéutico, era un leproso que tenía tres dedos en la mano derecha y, quizá para compensar, seis dedos en la mano izquierda. Si le pedías aspirinas, abría un cajón, sumergía su muñón mejor provisto de falanges y te tendía un puñado de comprimidos.

Las personas que no estaban demasiado corroídas por las enfermedades eran muy hermosas. La delgadez enaltecía sus rostros. Algo violento brillaba en su mirada. La ropa, reducida a la mínima expresión, desvelaba unos cuerpos enjutos.

Un clamor llegó procedente de la carretera principal. Arrastrada por la corriente humana, me dirigí hacia allí, preocupada por no soltar mi bici. Un tipo había sido atropellado por un coche que le había arrollado la cabeza. Su cráneo había explotado. A su lado, su cerebro relucía al sol.

A punto de vomitar, salté sobre la bicicleta y huí. No quería ver nada nunca más.

En el búnker, me reuní con mi hermana en el sofá. Ya no lo abandoné.

Se había convertido en un gag: a cualquier hora del día podías estar seguro de encontrarnos, a Juliette y a mí, desplomadas en el sofá, leyendo. La única trashumancia consistía, por la noche, en llegar hasta la cama.

En aquella época, Bangladesh intentaba practicar la democracia. El valiente presidente Zia ur-Rahman quería desmentir el tópico según el cual la extremada miseria engendraba la dictadura. Se esforzaba para que su país fuera una república digna de tal nombre. Apelando a su deseo de libertad de prensa, promovió la existencia no sólo de un periódico independiente sino de dos rotativos independientes, con el fin de que hubiera debate. Así nacieron el *Bangladesh Times* y el *Bangladesh Observer*.

Por desgracia, tan nobles intenciones tuvieron un resultado asombroso: cada mañana, cuando aparecían ambos periódicos, uno se daba cuenta de que, palabra por palabra, coma por coma, foto por foto, eran la réplica el uno del otro. Por más que se investigó, no se encontró una explicación. Y la maldición periodística continuó.

El domingo por la noche, a mi hermana y a mí se nos constreñía a escribir una carta a nuestro abuelo materno, que vivía en Bruselas: el correo saldría a la mañana siguiente por valija diplomática. Se nos entregaba una hoja en blanco con la misión de rellenarla. Era terrible: no teníamos nada que decir. «¡Vamos, un poco de buena voluntad!», insistía nuestra madre.

Juliette ocupaba un extremo del sofá, yo el otro. Sin ayudarnos mutuamente, escarbábamos en nuestras cabezas, a la búsqueda de algo: acabábamos por encontrar palabras que escribíamos con la letra más grande posible con el fin de ocupar más superficie. Al final de la página, estábamos agotadas. Papá recogía nuestras copias y se las llevaba a su habitación.

Lo escuchábamos gritar de risa. A nuestras cartas las llamaba el *Bangladesh Times* y el *Bangladesh Observer;* y cada semana volvía a producirse el milagro, que si bien era menos extraordinario que la traducción de la Biblia por los Setenta, no por ello dejaba de ser menos edificante: palabra por palabra, coma por coma, mi hermana y yo no dejábamos de escribir rigurosamente la misma carta, idénticas la una de la otra. Nos sentíamos humilladas.

150

Sin saberlo, quizás estábamos aportando una explicación al misterio periodístico de Bangladesh: si dos seres distintos intentaran comentar la actualidad de un país, una fatalidad verbal les haría escribir textos de una perturbadora similitud.

Al menos, claro está, que esos dos seres no fueran distintos. En el caso del *Bangladesh Times* y del *Bangladesh Observer*, no teníamos ni idea; en el de Juliette y mío, empezábamos a tener nuestras dudas.

Nos separaban dos años y medio. Mi hermana siempre había sido muy diferente a mí en muchos aspectos: mucho más dulce, más soñadora, más guapa y más artista que yo, Juliette era la encarnación de la poesía. De hecho, era escritora: creaba poemas, novelas y tragedias de una gracia incomparable. Yo era una mística: cuando mi descreída hermana me sorprendía rezando, gritaba de risa. Parecía imposible confundir a esas dos personas.

Y, sin embargo, sí. En Bangladesh se inició nuestro proceso de identificación. No lo habíamos ni decidido ni observado. Vivir a dos en el mismo sofá favoreció ese fenómeno. Crecíamos sobre el modelo del doble.

Fue a esa edad cuando empecé a esperar el correo con fervor. Al principio, y de vez en cuando, recibía una breve y amable carta de Nueva York: de Marie o de Roselyne. Mi pasión adornaba sus palabras con tanta intensidad que estaba convencida de estar leyendo declaraciones de amor: respondía inmediatamente con torrentes de solemnes sermones, sin darme cuenta de la desproporción entre lo que yo escribía y lo que me escribían.

A consecuencia de lo cual, muy rápidamente, dejé de recibir cartas de mis favoritas. Necesité tiempo para admitir aquella verdad: durante meses, le eché la culpa al servicio de correos. Pero mis padres, en cambio, recibían cartas procedentes de todo el mundo.

Mi madre hacía lo posible por tranquilizarme.

—La gente escribe poco. No significa que te olviden o que te quieran menos. Inge, que te quiere tanto, te avisó: no te escribiría por la simple razón de que ella pertenece a la categoría de personas que no escriben.

Intentaba tragarme aquella historia. Resultaba difícil, porque al principio las favoritas escribían. ¿Por qué se habían convertido en personas que ya no escribían? ¿Por qué habían cambiado?

—¡Yo no cambio! —me indigné.

—Sí que cambias.

Tenía razón: aunque mis sentimientos persistieran, mi estatus evolucionaba. Ya no era ni mucho menos la reina que creía ser en Nueva York. Lo menos que podría decirse de mí es que había perdido mi reino.

Afortunadamente, todavía me quedaba mucha infancia. Cuando nuestros padres nos llevaban, a Juliette y a mí, a visitar el país, las energías infantiles seguían resultándome embriagadoras. Así pues, enseguida que veía un afluente, un lago, un río —y Bangladesh es una extensión de agua—, me lanzaba inmediatamente al agua, incapaz de resistir la llamada de mi elemento. Fue así como, estando sumergida en la desembocadura del Ganges, atrapé la otitis del siglo y perdí la mitad de mi oído en aquella corriente.

Aquel país no tenía más riqueza y más belleza que su población que, demasiado numerosa, también era la causa principal de su alucinante miseria.

Viajábamos por todas las provincias y nunca había nada que ver, sólo gente siempre estupenda; por desgracia, la mitad de ellos estaban perpetuamente muriéndose. Era la principal ocupación de Bangladesh.

En Bangladesh, la principal ocupación de mi padre consistía precisamente en impedir que la gente muriera favoreciendo las ayudas al desarrollo. En un pueblucho llamado Jalchatra, en el corazón de la selva, había una leprosería fundada por una belga. Mis padres se entusiasmaron con su causa. Jalchatra se convirtió así en uno de los sitios en los que vivíamos.

La belga en cuestión era una especie de militar disfrazada de religiosa llamada hermana Marie-Paule. Aquella admirable mujer había movido cielo y tierra para fundar la leprosería. Apenas dormía y se pasaba día y noche curando a seres increíblemente enfermos, administrando su campamento, buscando alimentos y defendiéndose de las serpientes y de los tigres.

La existencia de la hermana Marie-Paule transcurría así desde que, veinte años antes, había puesto la primera piedra de la leprosería. Era delgada, dura y arisca, y tenía motivos para serlo.

Mi padre y mi madre la ayudaron enseguida en sus actividades. Mi hermana y yo empezamos por perseguir a los monos por la selva. Se mostraron agresivos: regresamos al dispensario. Alrededor no había nada. Nos sentamos sobre una piedra.

—¿Quieres ver a los leprosos? —le pregunté a Juliette.

—¿Estás mal de la cabeza?

—¿Y qué vamos a hacer?

—Buena pregunta.

—En tu opinión, a los muertos, ¿dónde los meten?

—Los entierran, supongo.

—Voy a buscarlos.

—Estás loca.

Recorrí Jalchatra de arriba abajo sin encontrar el lugar en el que enterraban los cadáveres. Los leprosos menos graves se paseaban. Su estado daba que pensar respecto a los que estaban más enfermos. Un hombre sentado en el suelo no tenía nariz, en su lugar, un enorme agujero permitía ver su cerebro.

Me acerqué a hablar con él. Con algunas palabras de bengalí, me dijo que no entendía el inglés. Su cerebro se agitaba cuando hablaba. Aquella visión me dejó estupefacta: el lenguaje era cerebro en movimiento.

Por la noche, nos enseñaron nuestras habitaciones: mi hermana y yo compartiríamos una minúscula celda con una ventana estrecha como un cráneo. No había electricidad, y nos iluminábamos con velas. En la penumbra, adivinábamos enormes arañas, que nunca nos asustaron. Acompañé a Juliette al lavabo para protegerla de aquellos bichos. Esos lugares llamados excusados me parecían presentar un peligro mayor. Jalchatra era la antesala del infierno. Nos acostamos cada una sobre nuestro jergón y decidimos que abandonaríamos la celda lo menos posible. Por la noche, intentamos explicarnos los ruidos procedentes de la selva. De día, leíamos; nos sumergíamos en nuestros libros, mi hermana en *Lo que el viento se llevó*, yo en *Quo Vadis?*

La lectura fue nuestra tabla de salvación. Era el reino de la crueldad, de la lucha por la supervivencia. No teníamos nada en contra de las personas que morían a nuestro alrededor. Sólo que nos sentíamos muy permeables a tanta agonía y, para no ser arrastrados por aquel río de óbitos, cada una se agarraba a su libro.

La hermana Marie-Paule limpiaba una llaga purulenta. Scarlett O'Hara bailaba con Rhett Butler. Una mujer perdía la conexión entre las terminaciones nerviosas y sus manos. Petronio le explicaba a Nerón que determinados versos eran indignos de su genio.

Nos llamaban para que fuéramos a comer y compartíamos el caldo de lentejas mientras la hermana Marie-Paule hablaba de asuntos insostenibles. Fue por aquella época cuando decidí no crear nunca una leprosería. Resulta admirable la constancia con la cual me mantuve fiel a esa decisión.

Con motivo de mi decimosegundo aniversario, me regalaron un elefante: uno de verdad. Por desgracia, sólo durante veinticuatro horas.

Pero durante veinticuatro horas, el elefante fue mío. Me subí a su lomo con el cornaca y allí pasé todo el día de mi cumpleaños. A través de la ciudad, me miraban como se mira a una reina.

Vivida desde lo alto de un elefante, la vida mejoraba. Allí arriba uno adquiría una majestad, una altura, un capital de admiración. Si por mí hubiera sido, habría permanecido allí hasta el fin de los tiempos.

De regreso al búnker para merendar, Juliette se unió a mí sobre el ancho lomo con el pastel y las doce velas. Al cornaca y al elefante también les tocó su parte, pero el animal no se mostró demasiado interesado por aquella tarta. Para su merienda, arrancó un banano y se lo zampó entero, luego se tragó la manguera del jardinero, que mantuvo en su gaznate el tiempo suficiente para llenarse de líquido (cuarenta minutos).

Un regalo de cumpleaños tan sublime me pareció un mal presagio. Intentaba razonar aquella superstición. La verdad es que no me sentía feliz de cumplir doce años. Era el último aniversario infantil.

Una noche, tuve una revelación. Desplomada en el sofá, estaba leyendo un cuento de Colette titulado «La cera verde». Aquella historia no venía a contar nada concreto: una joven muchacha lacraba unas cartas. Sin embargo, aquel relato me cautivaba sin que pudiera explicarme por qué. A la vuelta de una frase que no aportaba demasiadas informaciones suplementarias, se produjo un fenómeno increíble: un influjo recorrió mi columna vertebral, mi piel se estremeció, y pese a la temperatura ambiental de treinta y ocho grados, se me puso la carne de gallina.

Estupefacta, releí el fragmento que había provocado aquella reacción, intentando descubrir su origen. Pero allí sólo se hablaba de cera en fusión, de su textura, de su olor: o sea de nada. ¿Entonces por qué aquella emoción espectacular?

Acabé por averiguarlo. Aquella frase era hermosa: lo que había ocurrido era la belleza.

Por supuesto que me acordaba de los discursos de los profesores: «Analizad el estilo de este escritor», «Este poema está muy bien escrito, por ejemplo la vocal tal aparece cuatro veces en el verso», etc. Semejantes disecciones resultan tan pesadas como un enamorado detallando a un tercero los encantos de su bienamada. No es que la belleza literaria no exista: sólo que es una experiencia tan incomunicable como los encantos de la Dulcinea para quien no es sensible a los mismos. Hay que apasionarse uno mismo o resignarse a no entender nunca nada.

Para mí, aquel descubrimiento equivalía a una revolución copernicana. La lectura constituía, junto con el alcohol, la parte esencial de mis días: en adelante, sería la búsqueda de esa insoluble belleza.

Mamá nos llevó al mar. Un avión destartalado de la Bangladesh Biman nos depositó en Cox's Bazar, antigua estación termal de los tiempos de la colonización inglesa. Nos alojamos en lo que había sido un suntuoso hotel victoriano y del que sólo quedaba una ruina habitada por enormes cucarachas. El lugar no carecía de encanto.

En Cox's Bazar ya no quedaba ni un veraneante. En general, Bangladesh no era un destino para las vacaciones. El hotel estaba desierto, a excepción de una pareja inglesa de setenta y cinco años, que se pasaba la vida encerrada en su habitación, releyendo ejemplares antediluvianos del *Times:* por la noche, bajaban al «restaurante», ella con un vestido de noche, él con esmoquin, y miraban a su alrededor con desprecio.

Nos pasábamos el día en la playa. El golfo de Bengala era de una belleza apocalíptica: nunca vi un mar tan agitado. No podía resistirme a la llamada de las inmensas olas: estaba dentro del agua de la mañana a la noche.

No nadaba nadie más. Mamá y Juliette permanecían tumbadas en la arena. La poca gente presente en la playa, formada esencialmente por niños, buscaba caracolas para venderlas. Invité a algunos de ellos a unirse al mar. Sonreían y rechazaban mi invitación.

Eran jornadas de embriaguez. Encontraba la justificación a mi vida tuteando al cielo saliendo de las olas. Cuanto más gigantescas eran, más lejos me llevaban, más arriba me levantaban.

Por la noche, en la cama con baldaquín del vetusto hotel, observaba los escarabajos escalando la vela de la mosquitera, saboreando todavía en mis huesos la danza del flujo y del reflujo. Sólo tenía un deseo: regresar al mar.

Un día, cuando ya llevaba unas horas dentro del agua, muy lejos de la orilla, mis pies fueron atrapados por numerosas manos. A mi alrededor, nadie. Debía de tratarse de las manos de mar.

Mi miedo fue tan grande que me quedé sin voz.

Las manos del mar ascendieron por mi cuerpo y me arrancaron el traje de baño.

Yo me debatía con la energía de la desesperación, pero las manos del mar eran fuertes y numerosas.

A mi alrededor, seguía sin haber nadie.

Las manos del mar separaron mis piernas y entraron dentro de mí.

El dolor fue tan intenso que me devolvió la voz. Grité.

Mi madre me oyó y corrió a buscarme dentro de las olas, gritando de ese modo demencial en el que sólo una madre puede gritar. Las manos del mar me soltaron.

Mi madre me tomó en sus brazos y me llevó hasta la playa.

A lo lejos, vimos salir del agua a cuatro indios de veinte años, de cuerpos delgados y violentos. Huyeron corriendo. Nunca más los encontraron. Nunca más volvieron a verme dentro de agua alguna.

La vida empeoró.

De regreso a Dacca, me di cuenta de que había perdido el uso de una parte de mi cerebro. Mi habilidad con los números había desaparecido. Ni siquiera era capaz de efectuar las operaciones más simples.

En lugar de eso, muros de nulidad ocupaban mi cabeza. Allí siguen.

Seguía siendo un tubo pero, en mi espíritu, se iniciaba ya la dislocación de la adolescencia.

Una nueva voz habló dentro de mí y, sin amordazar a las precedentes, fue la interlocutora definitiva que me acostumbró a pensar a dos voces. Sin dejar de reír, nunca dejó de señalarme el horror de las cosas.

Hacía tiempo que la hermana Marie-Paule imploraba la ayuda belga para su leprosería. Mi padre hostigó al ministerio y a sus fundaciones: acabaron anunciándole la llegada de dos religiosas flamencas dispuestas a dedicar su vida a Jalchatra.

Papá fue a recibirlas al aeropuerto de Dacca; almorzaron en el búnker antes de ser conducidas a la selva. Las esperábamos con la curiosidad que suscitan los sacrificios: ¿quién demonios podía ofrecerse voluntario para abandonar su cómodo convento de

Flandes y entregar algo más que su existencia a los tormentos de una leprosería bengalí? ¿Qué misterio humano se escondía bajo tan increíble oblación?

El jardinero les abrió la puerta. Aquel musulmán estupendo, que vestido debía de pesar cincuenta kilos, adoptó la actitud defensiva de un perro y empezó a temblar. Le costó echarse a un lado para dejar paso, nunca tan necesario, a dos criaturas tan enormes que había que abrir los ojos de par en par para verlas enteras. Aquellas dos hermanas, que no lo eran entre sí, eran gemelas en obesidad.

La hermana Lies y la hermana Leen tenían veinticinco años. Se les habría podido atribuir cualquier edad. Su gemelidad adquirida se veía reforzada por su uniforme y por sus maletas de monja. Su rostro era una hinchazón rellena de amabilidad.

Mi madre fingió no haberse fijado en su particularidad y, muy civilizadamente, les dio conversación. Entonces nos dimos cuenta de que la hermana Lies y la hermana Leen, que no habían salido nunca de su pueblo de Flandes Occidental, hablaban un dialecto incomprensible. Su idioma evocaba los temblores de la tapa de una cazuela en la que estuvieran hirviendo patatas.

Mis padres se miraron con expresión de preguntarse de qué modo la hermana Marie-Paule acogería a las reclutas. Después de la comida, amontonamos a los dos personajes dentro del coche y encontramos un pequeño sitio para nosotros. Era la primera vez que tenía ganas de ir a Jalchatra: no quería perderme la escena del desembarco. En el interior de mi cabeza, la nueva voz disfrutaba de lo lindo: «Míralas, el más mínimo traqueteo del vehículo provoca un seísmo de grasa, ahora te darás cuenta de que para querer dedicar tu vida al bien hay que tener problemas de verdad.»

Al llegar, la hermana Lies y la hermana Leen fueron propulsadas fuera del coche. Miraban con admiración la selva que les cambiaba tanto de su biotopo flamenco. La hermana Marie-Paule llegó como un general. Ni siquiera se fijó en las dimensiones de las religiosas y se las llevó inmediatamente, clamando que un trabajo monstruoso las esperaba.

Fue un milagro. La hermana Lies y la hermana Leen resultaron ser unas supermujeres. Llevaron a cabo un trabajo sobrehumano y salvaron a cientos de leprosos. Nunca abandonaron Jalchatra y no adelgazaron ni un solo gramo.

Comparada con Bangladesh, la vecina India era Jauja. Para quien viniera de Dacca, Bombay hacía pensar en Nueva York y Calcuta en Nueva Orleans. Allí, sin embargo, la miseria resultaba más impactante a causa del hinduismo, que reforzaba las exclusiones. Por aquel entonces, en Bangladesh reinaba un islamismo moderado, admirable en su igualitarismo.

Éramos los únicos seres humanos del planeta en ir a Calcuta, la ciudad más cercana de la frontera, con el objetivo de buscar alimentos. Por pocos que hubiera en esa ciudad infernal, aquello nos parecía la abundancia.

Subimos hasta Darjeeling, cuya nostálgica belleza me dejó estupefacta. De tanto contemplar el Everest bebiendo té, la tentación himalaya ganó la partida: nos fuimos una semana al Nepal.

Un país en el que te pasabas el día levantando la cabeza hasta el cielo para poder contemplar cimas de una altitud inverosímil estaba hecho para mí. Pero a nivel humano, era otra cosa.

Una visita me impactó más violentamente que todo lo que había visto hasta entonces sobre este planeta: el templo de la Diosa Viva. Dicha diosa era una niña que los brahmanes elegían en el momento de nacer en función de miles de criterios astrológicos, kármicos, sociales, etc. Inmediatamente, el bebé accedía al rango de divinidad y, como tal, quedaba, por así decirlo, empotrada en la misma materia del templo. Encajada en su trono, la pequeña crecía suntuosamente alimentada, floreciente y honrada por sacerdotisas, sin aprender a andar. Los únicos movimientos a los que tenía derecho consistían en agitar objetos del culto. Aparte de las vestales, nadie estaba autorizado a levantar la mirada hacia ella.

Sólo una vez al año, el día de la procesión, en el que la Diosa Viva era transportada sobre un palanquín gigante por la ciudad en la que las masas se acercaban a mirar, aclamar y rezar por la niña, para quien aquélla era la única ocasión de ver el mundo real. Entonces era fotografiada con gran profusión. De noche, se reintegraba al templo, cuyos cuarterones volvían a cerrarse hasta el año siguiente.

Estas maniobras duraban hasta que la niña cumplía doce años. El día de su aniversario, perdía su estatus de divinidad y de repente se le rogaba que se marchara con la música a otra parte.

Soltaban en plena naturaleza a una niña obesa, incapaz de utilizar las piernas y cuya familia había perdido el recuerdo de su existencia. Nadie parecía preocuparse por el porvenir de aquel nuevo ser humano.

En el exterior del templo podían verse, clavadas con chinchetas y en calidad de exvotos, numerosas fotografías de la Diosa Viva actual a distintas edades. Era asombroso comprobar cómo, año tras año, la graciosa niñita se iba metamorfoseando en una especie de gusano de seda hinchado de grasa. También había viejas instantáneas de Diosas Vivas precedentes, espantoso desfile de niñas a cual más gorda, y que, más allá de los doce años, dejaban de existir. Uno no podía dejar de preguntarse qué parte de su vida era peor: antes o después de la edad fatídica.

Yo tenía doce años cuando visité el templo de la Diosa Viva. Decir que me sentí trastornada es decir poco. Afortunadamente, mi destino no tenía nada en común con el de aquella niñita nepalí, pero algo en mi corazón se sentía muy identificado con ella.

Curiosamente, desde que tenía uso de razón, siempre había sido consciente de que crecer es decrecer y que esta pérdida perpetua incluiría grados atroces. El templo de la Diosa Viva me puso frente a frente con una verdad que era la mía desde el comienzo de mi vida: que a los doce años, las niñas eran rechazadas.

Dentro de mi cabeza, la dislocación actuaba. La nueva voz era tan fuerte que, en adelante, impedía engañarse a sí mismo. Hasta entonces, mi relato interior, mezcla de realidad y fantasmagoría, no había sufrido interrupción alguna: acompañaba mis más mínimos gestos, mis más mínimos pensamientos. En adelante, cuando intentaba recuperar aquel hilo narrativo, la nueva voz se interponía y sólo admitía el anacoluto.

Todo se convirtió en fragmento, rompecabezas en el que cada vez faltaban más piezas. El cerebro, que hasta entonces había sido una máquina de fabricar continuidad a partir del caos, se transformó en un mecanismo de triturar.

Cumplí trece años en Birmania. Era el país más hermoso del mundo y resultaba insoportable darse cuenta de ello a la edad en la que era menos capaz de estar a su altura. Cinco años antes o cinco años después habría podido enfrentarme a tan intenso esplendor. A los trece años, simplemente no podía digerirlo.

Leí *El pabellón de oro*, de Mishima. Yo era ese monje desgraciado que le toma odio a la belleza. Sólo conseguía conmoverme si me imaginaba a mí misma destruyéndola. Contrariamente al bonzo pirómano, yo nunca habría tenido el valor de pasar a los hechos: me conformaba con incendios mentales. Gracias a ellos, el esplendor que me rodeaba me era revelado.

Los padres nos llevaron a Pagan, que era todavía más espléndido que Kioto; la antigua ciudad de los templos era simple y llanamente el lugar más sublime de este planeta. Me vine abajo. Afortunadamente, me enteré de que uno de los ingredientes de aquel paisaje lunar había sido un cataclismo incendiario: eso hizo que el lugar me resultara más soportable. Cuando las suntuosas pagodas me agobiaban en exceso, mi espíritu las devolvía a las antiguas llamas y, de repente, disfrutaba con ellas.

Tenía la sospecha de que Juliette compartía mi turbación.

—Es demasiado hermoso —decía ella.

Esa manera de hablar se ha transmitido a través del idioma y, sin embargo, tanto en boca de mi hermana como en la mía, había que tomarla al pie de la letra: aquel exceso nos oprimía. Tanta belleza requería un sacrificio y sólo nos teníamos a nosotras para sacrificar —o la belleza incriminada. «Era ella o yo», legítima defensa. Por otra parte, Juliette también leía *El pabellón de oro*, ávidamente, sin comentario.

Mi cuerpo se deformó. En un año crecí doce centímetros. Me salieron pechos, grotescos en su pequeñez, pero ya eran demasiado para mí: intenté quemarlos con un mechero como las amazonas incendiaban uno de sus senos para usar mejor el arco; sólo conseguí hacerme daño. Pospuse aquel problema hasta una fecha ulterior, convencida de que, tarde o temprano, encontraría una solución.

Aquel inusitado crecimiento volvió a sumergirme en el estado vegetal de mis primeros años. No podía más de cansancio. Arrastrarme hasta el bar suponía una proeza: sólo la perspectiva del whisky me permitía conseguirlo. Bebía para olvidar que tenía trece años.

Era inmensa y fea, llevaba un corrector dental. El presidente de Bangladesh, el admirable Zia ur-Rahman, fue asesinado. Bastaba que abandonara el país para que ocurriera algo. El mundo me repugnaba.

Bangladesh se hundió en una dictadura militar. Yo me hundí en la dictadura de mi cuerpo. Birmania, la Albania asiática, vivía en régimen de autarquía. Yo cerré mis fronteras.

A mi padre le afectó profundamente la muerte de Zia ur-Rahman. A mi madre le afectó profundamente el estado larval de sus hijas, y especialmente de la pequeña, que no se movía del sofá.

—Voy a buscar un torno de mano —decía al ver mi enorme cuerpo embarrancado sobre los cojines.

Nos arrastró hasta el club inglés, alegando que allí había una piscina, la cual me importaba un bledo. Allí me ocurrió una terrible desgracia: un joven inglés de quince años, delgado y delicado, se lanzó al agua ante mis ojos, y sentí que algo se desgarraba dentro de mí. Horror: deseaba a un chico. Sólo me faltaba eso. Mi cuerpo me había traicionado.

Es cierto que el inglés tenía el pelo negro y largo, la tez pálida, los labios rojos y era de complexión delgada, pero no por ello dejaba de ser un chico. Deshonra absoluta. Empecé a seguirle a todas partes con el fin de que se fijara en mí. No lo hizo. Lo comprendía: no era digna de ser mirada. El remedio a aquella repugnante situación estaba seguramente en los libros. Leí *Fedra* con una exaltación sin límites: yo era Fedra, él era Hipólito. El verso raciniano le sentaba bien a mi excitación febril. Pero no por ello dejaba de ser una predisposición lamentable.

Decidí no presumir de ello.

En lo más profundo de mi insustancialidad hormonal, sólo reinaba el caos. De noche, me levantaba para ir a la cocina a pelear contra unas piñas: había observado que el exceso de dicha fruta me hacía sangrar las encías y necesitaba ese combate cuerpo a cuerpo. Cogía un cuchillo grande, atrapaba la piña por la cabellera, la despellejaba con algunos cortes y la devoraba hasta el corazón. Si las primeras sangres seguían sin derramarse, despedazaba otra: llegaba el momento excitante en el que veía la carne amarilla inundada con mi hemoglobina.

Aquella visión me enloquecía de placer. Devoraba el rojo en el corazón del oro. El gusto de mi sangre mezclada con la piña me aterrorizaba de voluptuosidad. Comía a marchas forzadas y sangraba todavía más. Era un duelo entre las frutas y yo.

Estaba condenada a perder, salvo que estuviera dispuesta a dejar hasta mi última gota de sangre. Interrumpía aquella lucha singular cuando sentía que mis dientes estaban a punto de caer. La mesa de la cocina era un ring en el que subsistían enigmáticos vestigios.

Aquella Ilíada frutal enjugaba un poco mi rabia.

175

Ya llevaba el tiempo suficiente esperando el desastre. Empezaba a comprender que no se produciría. Era necesario que yo lo provocara. No podía contar ni con la actualidad —los golpes de Estado sólo se producían cuando yo abandonaba un país— ni con la metafísica —por más que escrutara el cielo y la tierra, los malos presagios del apocalipsis no se manifestaban.

Tenía hambre de cataclismo, igual que Juliette. No hablábamos de ello. Habíamos llegado a ese punto en el que todavía estamos: ya no necesitábamos hablarnos. Sabíamos lo que vivía cada una de nosotras: lo mismo que la otra.

Yo seguía deseando al joven inglés, mi cuerpo seguía creciendo, la voz interior seguía odiándome, Dios seguía castigándome. A estas agresiones, opondría la resistencia más heroica de todos los tiempos.

En Bangladesh, me habían enseñado que el hambre era un dolor que desaparecía muy deprisa: uno sufría sus efectos sin sufrir más dolor. Valiéndome de esta información, creé la Ley: el 5 de enero de 1981, día de Santa Amélie, dejaría de comer. Aquella pérdida de mí misma iba acompañada de una suspensión: la Ley también estipulaba que a partir de aquel día no olvidaría ninguna de las emociones de mi vida.

Uno tenía derecho a no recordar los detalles técnicos del universo, Marignan 1515, el cuadrado de la hipotenusa, el himno nacional americano y la clasificación de los elementos químicos. Pero no recordar lo que te había conmovido, por leve que fuera, era un crimen que demasiadas personas cometían a mi alrededor. Aquello me producía una indignación mental y física.

La noche del 5 al 6 de enero de 1981, asistí a la primera proyección interior de mis emociones de la jornada: estaban constituidas sobre todo por hambre. Desde entonces, cada noche, a la velocidad de la luz, se proyecta dentro de mi cabeza el rollo de película emocional a partir del 5 de enero de 1981.

¿Acaso se debía a que tenía trece años y medio, la edad en la que las necesidades alimentarias son de lo más demencial? El hambre tardó en morir en la boca de mi estómago. Su agonía duró dos meses que me parecieron un largo suplicio. La memoria, en cambio, resultó fácil de meter en cintura.

Después de dos meses de dolor, se produjo finalmente el milagro: el hambre desapareció, dando paso a una alegría torrencial. Había matado mi cuerpo. Lo viví como una victoria asombrosa.

Juliette se volvió delgada y yo esquelética. La anorexia fue una bendición para mí: la voz interior, subalimentada, se había callado; mi pecho volvía a ser plano a las mil maravillas; ya no sentía ni una pizca de deseo por el joven inglés; a decir verdad, ya no sentía nada.

Aquel modo de vida jansenista —nada en todas las comidas del cuerpo y del alma— me mantenía en una era glacial en la que los sentimientos ya no crecían. Fue un respiro: había dejado de odiarme a mí misma.

Ya que no había más alimento, decidí comerme todas las palabras: me leí el diccionario entero. La idea era no saltarme ninguna entrada: ¿cómo decidir de antemano que algunas no merecerían la pena?

La tentación de ir y venir de una letra a la otra como cualquier usuario del diccionario era fuerte. Se trataba de leerlo en orden estrictamente alfabético, para no perderse ni una sola de sus migajas. El efecto producido era aturdidor.

Fue así como me percaté de una injusticia enciclopédica: algunas letras eran más interesantes que sus vecinas. La más apasionante era la letra A: ¿acaso se debía al lado pérfido señalado por Rimbaud? ¿O era simplemente debido a ese poder turbador, a esa energía de los principios?

Sospecho que esa lectura tenía un objetivo suplementario, que en aquella época no me había confesado: el deseo de no permitir que mi cerebro se dispersara todavía más. Cuanto más adelgazaba, más sentía que se derretía lo que me hacía las veces de espíritu.

Quienes hablan de la riqueza espiritual de los ascetas merecerían sufrir anorexia. No hay mejor escuela de materialismo puro y duro que el ayuno prolongado. Más allá de determinado límite, lo que entendemos por alma se marchita hasta desaparecer.

Esa miseria mental del ser desnutrido resulta tan dolorosa que puede provocar reacciones heroicas. Hay en ellas tanto orgullo como instinto de supervivencia. En mi caso, eso se tradujo en faraónicas empresas intelectuales, como leer el diccionario de la A a la Z.

Sería un error ver en la anorexia una inteligencia propia. Sería bueno que esa evidencia fuera finalmente asumida: la ascesis no enriquece el espíritu. Las privaciones carecen de virtud.

Los padres nos llevaron a ver el monte Poppa: se trata de un monasterio budista instalado en la cima de una montaña tan abrupta que parece una alucinación.

Yo tenía catorce años y, siempre que estuviera vestida, todavía se me podía mirar. Los monjes no dejaban de mirarme fijamente y le dijeron a mi padre que deseaban comprarme. Mi madre les preguntó por qué.

–Porque tiene una tez de muñeca de porcelana –respondieron.

Encantados, mis padres fingieron estar interesados y discutieron mi precio.

No conseguí que aquello me pareciera divertido. Aquella edad es propensa a pudibundez enfermiza.

Pesaba cuarenta kilos. Sabía que seguiría adelgazando. Llegaría un momento en el que, ni siquiera en broma, ningún bonzo propondría comprarme. Aquella idea me alivió.

Leí *La cartuja de Parma* por primera vez. Como todos los relatos en los que la cárcel desempeña un papel, aquel texto me dejó estupefacta: sólo la prisión hacía que el amor fuera posible. No sabía por qué me sentía tan identificada con aquello.

Por otro lado, no existía nada más civilizado que aquel libro. La anorexia me mantenía alejada de la civilización y sufría por ello. También leía apasionadamente libros sobre los campos de concentración, *Mi oficio es la muerte, Si esto es un hombre.* A través de la pluma de Primo Levi, descubrí la frase de Dante: «Los hombres no están hechos para vivir como bestias.» Yo vivía como una bestia.

Fuera de esos raros momentos de lucidez en los que se me aparecía el lado sórdido de la enfermedad, me vanagloriaba de ella. La inhumanidad de mis condiciones de vida me inspiraban orgullo.

Me repetía que era bueno actuar contra mí, que tanta hostilidad hacia mí misma me resultaría saludable. Recordaba el verano de mis trece años: era una larva de la que no salía nada. Ahora que ya no comía, tenía una intensa actividad física y mental. Había vencido el hambre y, en adelante, disfrutaba de la embriaguez del vacío.

En realidad, había llegado al paroxismo del hambre: tenía hambre de tener hambre.

Laos era el país de la nada. No es que no ocurriera nada: pero la influencia vietnamita amortiguaba los impactos hasta el extremo de asfixiar cualquier impresión de vida.

Nunca una dictadura actuó con tanto disimulo. El poder sólo escamoteaba a los seres por la noche. Uno se levantaba y había dejado de tener vecinos, por los motivos más extraños: había entablado conversación con un extranjero o había escuchado música.

Esta funesta colonización no impedía a los laosianos ser la gente más exquisita del mundo: condenados a la nada, se aburrían con elegancia y delicadeza.

Los desplazamientos ya no me afectaban: la anorexia era portátil.

A los quince años, con un metro setenta de estatura, pesaba treinta y dos kilos. Mi pelo se caía a puñados. Me encerraba en el cuarto de baño para contemplar mi desnudez: era un cadáver. Aquello me fascinaba.

Dentro de mi cabeza, una voz comentaba la imagen reflejada: «Pronto morirá.» Yo me sentía exultante de que así fuera.

Mis padres estaban furiosos. No comprendía por qué no compartían mi alegría. La enfermedad me había curado del alcoholismo. Mi madre me pesaba con regularidad. La engañaba en ocho kilos, escondiendo debajo de mi camiseta unos lingotes de metal y entregándome veinte minutos antes del pesaje al suplicio del agua: me obligaba a mí misma a englutir tres litros en un cuarto de hora. El dolor era extraordinario.

Entonces merecía la pena observarse en el espejo: era un esqueleto de vientre hipertrofiado. Era algo tan monstruoso que me encantaba. Mi único pesar era haber perdido la potomanía: aquella gracia me habría facilitado la tarea.

El cerebro está constituido esencialmente por grasa. Los más nobles pensamientos humanos nacen en la grasa. Para no perder la cabeza, volví a traducir, con fiebre, la *Ilíada* y la *Odisea*. A Homero le debo las pocas neuronas que me quedan.

A los quince años y medio, una noche, sentí que la vida me abandonaba. Me transformé en un frío absoluto.

Mi cabeza aceptó.

Entonces ocurrió algo increíble: mi cuerpo se rebeló contra mi cabeza. Rechazó la muerte.

A pesar de los gritos de mi cabeza, mi cuerpo se levantó, fue a la cocina y comió.

Comió entre lágrimas, ya que mi cabeza sufría demasiado a causa de lo que estaba haciendo.

Comió todos los días. Como ya no digería nada, los dolores físicos se sumaron a los dolores mentales: los alimentos eran lo extranjero, el mal. La palabra «diablo» significa «lo que separa». Comer era el diablo que separaba mi cuerpo de mi cabeza.

No me morí. Habría preferido morirme: los sufrimientos de la curación fueron inhumanos. La voz de odio que la anorexia había cloroformizado durante dos años se despertó y me insultó como jamás lo había hecho. Y ocurría lo mismo cada día.

Mi cuerpo recuperó una apariencia normal. Lo odié todo lo que se puede llegar a odiar.

Leí *La metamorfosis* de Kafka con los ojos abiertos de par en par: aquélla era mi historia. El ser transformado en bestia, objeto de espanto para los suyos y sobre todo para sí mismo, su propio cuerpo convertido en lo desconocido, en el enemigo.

Siguiendo el ejemplo de Gregor Samsa, ya no abandoné mi habitación. Me asustaba demasiado el asco de los demás, temía que me aplastaran. Vivía en el más abyecto de los fantasmas: tenía el físico corriente de una chica de dieciséis años, lo cual no debía de ser la visión más dolorosa del universo; interiormente, me sentía como una gigantesca cucaracha, tan incapaz de salir de aquella situación como de salir a secas.

Ya no sabía en qué país vivía. Vivía en la habitación que compartía con Juliette. Ella se limitaba a dormir allí. Yo estaba instalada allí permanentemente.

Abandonaba la cama tanto menos cuanto que estaba enferma. Después de años de paro técnico, mis órganos digestivos no toleraban nada. Si comía cualquier cosa que no fuera arroz o verdura hervida, me retorcía de dolor.

Aquel año, los únicos momentos buenos fueron aquellos en los que tuve fiebre. La sufría menos de lo que me habría gustado: apenas dos días al mes, ¡pero qué alivio! Entonces mi espíritu se hundía en delirios salvadores. Tenía siempre las mismas imágenes en mi cabeza: yo era un enorme cono que se paseaba por el vacío sideral y tenía la consigna de transformarme en cilindro.

Con toda la fuerza de mis cuarenta grados de temperatura, me concentraba para convertirme en el deseado tubo. A veces, la sensación de haber logrado mi misión geométrica me producía un enorme orgullo. Me despertaba empapada en sudor y saboreaba algunos minutos de sosiego.

Vivir en la habitación me dio la ocasión de leer más que nunca.

Leí por primera vez la novela que más veces releería —más de cien veces—, *Les Jeunes filles*, de Montherlant. Aquella jubilosa lectura me confirmó en la creencia de que podía convertirme en todo menos en una mujer. Estaba en el buen camino, ya que era una cucaracha.

En rarísimas ocasiones, reunía la fuerza suficiente para salir de la habitación. Había perdido el sentido común. Pronunciaba discursos sobre la inexistencia del alma. Trataba a un dignatario de «mi buen amigo».

Los juegos de azar, al igual que la música, estaban prohibidos en Laos. Había que encerrarse cuidadosamente para entregarse a una u otra actividad. Las cartas se consideraban un juego de azar: el whist se convirtió en una actividad sublime, reforzada por el prestigio de la prohibición.

No me cansaba de mirar a los jugadores. Un día, sorprendí a un tramposo. Lo desenmascaré en voz alta. Lo negó. Le di un puñetazo en el ojo. Sin más premura, mi padre me mandó a mi habitación.

Ya que mi destino era no abandonar la habitación, me convertí en arúspice: desde mi cama, contemplaba por la ventana el vuelo de los pájaros en el cielo. En el vuelo de los pájaros no leía nada más que el vuelo de los pájaros: toda interpretación habría sido desvalorizadora. No había mayor locura que observar aquello.

A menudo, los pájaros estaban demasiado lejos para identificar a qué especie pertenecían. Su silueta se reducía a una caligrafía árabe que revoloteaba en el éter.

Me habría gustado tanto ser así: algo indetermi-
nado, libre de volar hacia cualquier parte. En lugar
de eso, permanecía encerrada dentro de mi cuerpo
hostil y enfermo y dentro de una mente obsesionada por la destrucción.

Parece ser que el grueso del terrorismo interna-
cional se recluta entre los hijos de diplomáticos. No
me extraña.

Con diecisiete años desembarqué en la Universidad Libre de Bruselas.

Era una ciudad llena de tranvías que abandonaban la cochera a las cinco y media de la mañana con un rechinamiento melancólico, creyendo partir hacia el infinito.

De todos los países en los que he vivido, Bélgica es el que menos he comprendido. Ser de un determinado lugar quizá consiste en eso: no comprender en qué consiste.

Sin duda ésa es la razón por la que allí empecé a escribir. No comprender algo es un fermento fenomenal para la escritura. Mis novelas daban forma a una incomprensión creciente.

La anorexia me había servido de lección de anatomía. Conocía ese cuerpo que había descompuesto. Ahora se trataba de reconstruirlo.

Por extraño que parezca, la escritura contribuyó a que así fuera. En primer lugar era un acto físico: había que superar obstáculos para sacar algo de mí.

Aquel esfuerzo constituyó una especie de tejido que luego se convirtió en mi cuerpo.

Afortunadamente, en mi vida estaba mi hermana. Se sacó el permiso de conducir. A partir de entonces, me llevaba a menudo a ver el mar. Eran días de ensueño.

Conducía hasta Coq, entre Wenduyne y Ostende. Nos tumbábamos en las dunas y hablábamos de cosas inexistentes. Dábamos interminables paseos por la playa.

Juliette era mi vida y yo era la suya. Algunos parientes decían que estábamos demasiado unidas, que convenía separarnos: dejamos de verlos.

Un día, le confesé que escribía. Ella había dejado de escribir a los dieciséis años. En cierto modo, me daba la impresión de haber retomado la antorcha. Le dije que nunca le enseñaría mi manuscrito a otra persona.

—Yo no soy otra persona —dijo.

194

Así pues, leyó mi historia del huevo. No esperaba de ella ninguna apreciación.

Me lo devolvió con un único comentario:

—Es autobiográfico.

En efecto, dentro del huevo gigante, la yema no
había resistido el golpe de Estado de los jóvenes re-
volucionarios. Se había desparramado por la clara y
aquel apocalipsis de lecitina había provocado la ex-
plosión de la cáscara. Entonces el huevo se había
metamorfoseado en una titánica tortilla espacial que
evolucionaría por el espacio cósmico hasta el fin de
los tiempos.

Sí, una autobiografía debía de ser algo así.

Con veintiún años y mi diploma de filología en el bolsillo, compré un billete de ida para Tokio.

Aquello implicaba un hecho horroroso: abandonar a Juliette, que permanecería en Bruselas. Mi hermana y yo nunca nos habíamos separado. Juliette me decía: «¿Cómo es posible que te marches?» Era un crimen, y yo lo sabía. Y, no obstante, sentía que era necesario cometerlo.

La estreché entre mis brazos hasta ahogarla y me marché. Emitió un prolongado gemido que todavía oigo resonar dentro de mi cabeza. Es increíble hasta qué punto podemos llegar a sufrir.

Tokio: no era el Japón que yo conocía y sin embargo sí lo era. Escondidos entre monstruosas avenidas, los callejones protegían mi país, el canto del vendedor de batatas, las ancianas en quimono, los tenderetes, los ruidos del tren, el olor de las sopas familiares, los gritos de los niños: me reencontraba con todo.

Estábamos en enero de 1989. Hacía frío, el cielo presentaba un permanente y absoluto color azul. No había vuelto a hablar japonés desde los cinco años, estaba convencida de haberlo olvidado. Sin embargo, las palabras niponas volvían a mi cabeza a puñados.

Experimenté una fantástica aventura de la memoria. Tenía veintiún años pero tenía cinco años. Me parecía haber estado fuera durante cincuenta años y era como si sólo me hubiera ausentado una temporada.

Vivía en un estado de permanente trastorno. Cuando un guardabarrera hacía sonar la campana que anuncia la llegada de un tren, mi existencia quedaba abolida, estaba en Shukugawa, tenía la carne de gallina y lágrimas en los ojos.

Seis días después de mi regreso a ese país que no podía ser más que el mío, conocí a un tokiotés de veinte años que me invitó al museo, al restaurante, a un concierto, a su habitación, y que luego me presentó a sus padres.

Aquello no me había sucedido nunca: un chico me trataba como a un ser humano.

Además, era encantador, amable, dulce, distinguido y de una educación perfecta: justo lo contrario de las relaciones que había vivido en Bruselas.

Se llamaba Rinri, que significa Moral, y él lo era. Allí ese nombre es tan raro como para nosotros Prétextat o Éleuthère, pero la onomástica nipona suele recurrir al hápax.

Era un rico heredero. Su padre era el joyero más importante de Japón.

A la espera de hacerse cargo de la empresa paterna, Rinri era estudiante igual que lo era yo y hasta donde uno puede serlo en Japón cuando frecuenta cualquiera de las once universidades más famosas: sin vigor.

Estudiaba lengua y literatura francesas, por placer: yo le enseñé muchos de sus giros.

Yo estudiaba japonés empresarial: él me enseñó mucho vocabulario.

Bajo la apariencia de un aprendizaje lingüístico, aquello era una aventura.

Rinri conducía un auténtico coche de yakuza, blanco y resplandeciente como sus dientes.

Yo le preguntaba:

—¿Adónde vamos?

Él me respondía:

—Ya lo verás.

De noche, estábamos en Hiroshima o en el barco que lleva a la isla de Sado.

Él abría el diccionario japonés-francés, buscaba durante largo rato y declaraba:

—Ya lo tengo: eres quintaesencial.

Para su familia, la cosa no resultaba tan divertida: el único heredero amaba a una blanca. Me miraban con mala cara. Me trataban con una rebuscada cortesía, pero encontraban el modo de hacerme notar que yo era un motivo de consternación.

Rinri no se daba cuenta. De él sólo conservo buenos recuerdos: un caso raro, el de ese chico.

Tenía un año más que él, y eso bastaba para hacer de mí una *ane-okusan:* una «esposa-hermana-mayor». Se suponía que, dada mi larga experiencia, yo debía enseñar la existencia al «novio-hermano-pequeño».

Resultaba divertido. Le enseñé a beber el té fuerte como el que yo tomaba. Vomitó.

En 1989 empecé a dedicarme por completo a escribir. Volver a estar en suelo japonés me dio la energía necesaria. Fue entonces cuando adopté lo que se ha convertido en mi ritmo: dedicar un mínimo de cuatro horas al día a la escritura.

Escribir ya no tenía nada que ver con la extracción arriesgada de los inicios; fue en adelante lo que es hoy —el gran empuje, el miedo regocijante, el deseo que vuelve sin cesar a sus raíces, la necesidad voluptuosa.

Aquel verano, Juliette se reunió conmigo en Tokio.

Al reencontrarnos, chillamos con alegría animal. Vivir sin ella siempre sería antinatural.

Juliette estaba allí: el peregrinaje podía comenzar. El Shinkanse nos llevó hasta Kobe, y luego un tren de cercanías nos dejó en Shukugawa. Desde el momento de llegar a la estación, supimos que aquel viaje era un error.

El pueblo no había cambiado prácticamente, éramos mi hermana y yo las que nos habíamos metamorfoseado. El *yôchien* me pareció minúsculo, la zona de juegos anodina. El callejón que ascendía hasta nuestra casa había perdido su encanto. Incluso las montañas de los alrededores me parecían pequeñas.

Al llegar a la casa de nuestra infancia, metí la cabeza por la saetera del muro y examiné el jardín: estaba igual, pero yo había abandonado un imperio que me pertenecía y ahora me reencontraba con un jardín.

Juliette y yo teníamos la impresión de estar paseando por un campo de batalla sembrado de cadáveres.

—¡Vámonos!

En la estación, desde una cabina telefónica, marqué el número de Nishio-san. Nadie contestó. Me sentí decepcionada y aliviada; me moría de ganas de verla y ahora me daba miedo que fuera un fracaso. Que mi reencuentro con aquel lugar hubiera salido mal había sido lamentable pero soportable; que mi reencuentro con mi bienamada aya saliera mal no habría sido tolerable.

Un mes más tarde, mi hermana se marchó. Me prometió que volveríamos a vernos muy pronto. Eso no me impidió pasarme horas gimiendo como un animal.

De noche, Rinri me llevaba muchas veces al puerto de Tokio. Mirábamos los buques mercantes con emoción. Había absurdos montones de neumáticos. Lo que más me gustaba era contemplar la hilera de gigantescas grúas Komatsu: aquellos pájaros de metal desafiaban el mar con una majestad marcial cuya estética me fascinaba.

Desde nuestro puesto de observación y si nos dábamos la vuelta, también podíamos ver circular los trenes por la vieja pasarela aérea. De noche, aquel estruendo ferroviario me conmovía. Resultaba hermoso.

En su coche de yakuza, Rinri ponía discos compactos de Ryuichi Sakamoto. Me invitaba a sake frío: estaba de moda. En Japón, la posmodernidad tenía su encanto.

El 31 de diciembre de 1989, desde una cabina telefónica, marqué el número de Nishio-san. Contestó ella misma. Gritó de sorpresa cuando supo con quién hablaba. Le pregunté si deseaba venir a celebrar el Año Nuevo conmigo, en Kioto.

Kobe no estaba lejos. Iría a esperarla a la estación.

Me pasé el día temblando y mirando el Pabellón de Oro. No le pegué fuego. Sólo pensaba en el reencuentro que pronto se produciría. Hacía ese terrible frío húmedo, típico del invierno de Kioto.

A la hora acordada, vi bajar del tren a una pequeña dama de metro cincuenta de estatura. Me reconoció enseguida.

—Estás hecha una gigante, pero tienes la misma cara que cuando tenías cinco años.

Nishio-san debía de tener unos cincuenta años. Parecía mayor: había trabajado duro.

Le di un beso: me resultó embarazoso.

—¿Cuándo fue la última vez?

—En 1972. Hace más de diecisiete años.

La sonrisa de mi aya no había cambiado.

Dijo que deseaba ir a un restaurante chino. Allí la llevé. Me contó que sus hijas, las gemelas, se habían casado, y me enseñó fotografías de sus nietos. Bebió mucho vino mandarín y se puso muy contenta.

Le conté que unos días más tarde iba a empezar a trabajar como intérprete en una de las mayores empresas japonesas. Nishio-san me felicitó.

A medianoche, siguiendo la tradición, fuimos a tocar las campanas por los templos. La vieja ciudad resonaba por doquier. Un poco ebria, Nishio-san se reía. A mí se me saltaban las lágrimas.

El 17 de enero de 1995 se produjo el terrible terremoto de Kobe.

El 18 de enero, desde Bruselas, marqué sin cesar el número de Nishio-san. En vano. Quizá las comunicaciones se habían cortado. Me consumía por dentro.

El 19 de enero, milagrosamente, conseguí tener a Nishio-san al otro lado del hilo. Me contó que su casa se había derrumbado estando ella dentro y que aquello le había recordado 1945.

Ella estaba bien, su familia también. Pero había mantenido la costumbre ancestral de esconder su dinero en casa y lo había perdido todo. La sermoneé:

–Prométeme que ahora abrirás una cuenta en un banco.

–¿Para ingresar las monedas que llevo en el bolsillo?

–Venga, Nishio-san, ¡eso es terrible!

–¿Y qué importa eso? Estoy viva.